PROFIL FORMATION

Collection dirigée par Georges Décote

50 ROMANS CLÉS DE LA LITTÉRATURE FRANÇAISE

Nouvelle édition remaniée et mise à jour

par Jean-Claude BERTON

Professeur certifié
de Lettres modernes

A Violaine

 HATIER

Sommaire

© HATIER PARIS 1983

ISSN 0337-1425   ISBN 2-218-**05544** - 9

Pagination : le signe (p.) renvoie au texte traité, le signe (cf. p.)
à ce Profil.

50 ROMANS CLÉS

Où l'auteur se justifie...

La littérature française a produit des milliers de romans du XIIᵉ siècle à nos jours : en voici cinquante.

Le pari tenait moins aux titres retenus — qui s'imposent d'une manière ou d'une autre — qu'aux titres rejetés. La liste est souvent interchangeable. Et d'autres œuvres, dont la qualité ou le rôle ne sont pas inférieurs, auraient pu l'allonger. Si la promenade à pas de géant sur ces cinquante sommets permet d'en évaluer la chaîne tout entière, elle doit rendre plus attentif à la beauté des autres cimes.

Ces œuvres, dont certaines ne sont pas nécessairement des chefs-d'œuvre absolus, ne constituent pas *les* cinquante romans par excellence. Il ne s'agit pas d'un palmarès : il n'y a pas de prix à gagner, même si quelques-uns des romans cités ont remporté le Goncourt ou le Renaudot. Le choix répond à une exigence plus grande que l'octroi d'un satisfecit par l'Histoire ou par les manuels scolaires. Ce qui était important, c'est que la substitution, le cas échéant, d'un auteur pour un autre, d'un titre pour un autre, ne changeât pas la structure que supportent ces cinquante piliers et n'en compromît pas l'équilibre.

La notion de roman a été étendue à des genres voisins : la nouvelle, le conte, la lettre philosophique. Il était tentant de proposer une définition préalable du *roman* ; mais il a paru préférable d'inviter le lecteur à l'établir pour lui-même et *a posteriori*. C'est l'objet des dernières pages de ce livre (cf. p. 148-154).

Chaque roman fait l'objet d'une fiche : quelques repères biographiques, un résumé étayé d'un grand nombre de citations, une synthèse des caractéristiques essentielles de l'œuvre, fournissent une première approche qui n'a pas l'ambition d'être complète, mais repose sur une étude approfondie de l'auteur, du roman et des commentaires qu'il a suscités. L'édition de référence est indiquée en note lorsque des renvois sont faits à l'œuvre. Les principales adaptations musicales, théâtrales ou cinématographiques des romans ont été signalées.

Des textes intermédiaires, sorte de promenade ou de fil d'Ariane, permettent de circuler d'un roman à l'autre. Sans ces maillons, la chaîne se disloquerait. Une liste chronologique, réduite à des repères, situe chaque roman clé dans une perspective diachronique, c'est-à-dire par rapport à l'histoire du genre.

Aucun guide ne remplace la visite d'un monument. Que celui-ci vous donne l'envie d'entrer dans quelques-uns des hauts lieux du roman français.

Nous espérons que, quelque arbitraire qu'il paraisse à première vue, ce choix, accompagné d'informations rapides, mais précises, pourra rendre service à tous ceux qui auraient besoin d'un coup d'œil d'ensemble sur l'une des productions les plus riches, les plus diversifiées, proposées par la littérature à notre réflexion et à notre imagination : le roman, qui retrace au cours des âges l'histoire des mœurs et le destin des hommes.

Bibliographie sommaire

Henri Coulet, *Le roman jusqu'à la révolution,* A. Colin (1968).

Michel Raimond, *Le roman depuis la révolution,* A. Colin (1967).

Claude-Edmonde Magny, *Histoire du Roman français depuis 1918,* Le Seuil (1950).

Pierre de Boisdeffre, *Le roman français depuis 1900,* PUF, Que sais-je ? (1979).

René Girard, *Mensonge romantique et vérité romanesque,* Livre de Poche (1978).

Yves-Olivier Martin, *Histoire du roman populaire en France de 1840 à 1980,* Albin Michel (1980).

Jacques Brenner, *Histoire de la littérature française de 1940 à nos jours,* A. Fayard (1978).

Jean-Claude Berton, *Histoire de la littérature française au XXe siècle,* Hatier, 1983.

L'ère des enchantements

On dit de Chrétien de Troyes qu'il est le premier romancier français. Madame de Lafayette passe pour avoir donné au roman son premier véritable chef-d'œuvre : **la Princesse de Clèves.** De l'un à l'autre, cinq siècles se sont écoulés.

Cette première période de l'histoire du roman semble placée sous le signe de l'enchantement. Les œuvres qui, peu à peu, allaient faire du roman un genre distinct des autres, propre à passionner les lecteurs pour des histoires et pour des personnages, cherchaient autant à divertir qu'à dépayser.

Le « merveilleux », c'est-à-dire la manifestation du surnaturel, était l'une des caractéristiques de la chanson de geste (cf. p. 8) : il devient l'une des composantes du roman. Les chevaliers de la Table Ronde, héros des romans de Chrétien de Troyes, vivent des aventures *merveilleuses* au cours desquelles ils rencontrent des animaux fabuleux. C'est par enchantement que, dans une autre œuvre, Tristan et Iseut sont liés d'un amour éternel en buvant un philtre d'amour.

Quelques siècles plus tard, l'enchantement prend avec Rabelais une dimension démesurée : géants, lieux utopiques, invraisemblances de l'action. L'imagination crée un monde féerique qui, par le grossissement qu'il imprime à la réalité, rend plus fortes les idées nouvelles et les grandes leçons morales, sociales, voire politiques.

Avec **le Roman comique** de Scarron, ce sont les enchantements du monde du théâtre, autre moyen d'échapper à la réalité ou de la vivre mieux. La société oisive de Mᵐᵉ de Lafayette s'enferme dans les enchantements du cœur qui recèlent d'amers renoncements. La Religieuse masque l'ennui de son couvent portugais par le sortilège d'une passion brûlante.

Mais cette tendance au surnaturel mène aux pires excès (d'Urfé, Mˡˡᵉ de Scudéry, cf. p. 20-21) qui engendrent nécessairement un courant réaliste compensateur. Scarron l'amorce ; telle est son originalité.

A. DU XIIᵉ AU XVIᵉ SIÈCLE :

DE LA CHEVALERIE
A L'HUMANISME

Le mot « roman » apparaît aux environs de *1172*[1] pour la première fois dans **le Chevalier au lion** de Chrétien de Troyes. Il désigne une œuvre qui n'est plus écrite en latin, langue savante, mais en *roman,* langue populaire. A l'époque où les moines rédigeaient encore la vie des saints en latin, le *roman,* langue parlée, n'avait d'emploi littéraire que dans les « chansons de geste » (**la Chanson de Roland,** par exemple), épopées de tradition orale récitées ou chantées par les trouvères et les troubadours. Le *roman* devient un moyen d'expression d'œuvres écrites au moment précis où naît un genre qui va précisément concurrencer, puis supplanter la chanson de geste : on l'appellera le *roman.* A la même période, de la fin du Xᵉ à la fin du XIIᵉ siècle, s'épanouit sous le même nom *l'art roman* : le mot recouvre à la fois une langue, celle qui s'est différenciée du latin au cours des âges et substituée à lui ; une forme d'art, d'architecture et de sculpture ; un genre littéraire écrit reposant sur la narration.

Les métamorphoses de ce genre au cours des siècles ne permettent pas de l'enfermer dans une définition. A l'origine, il s'agit d'un récit qui met généralement en scène des chevaliers, qui retrace leurs prouesses et raconte leurs amitiés et leurs amours. Le roman est dit « courtois » parce qu'il se déroule à la cour du roi ou dans les cours seigneuriales ; l'adjectif a fini par désigner l'ensemble des sentiments et des idées qui caractérisaient la vie dans ces cours : sentiments délicats, idées généreuses, souvent compensés par l'exactitude ou le réalisme de la description, qui font l'objet, dès les premiers romans, d'une analyse parfois très subtile.

1. Les dates en italique sont approximatives.

Au cours de cette longue période qui va de la fin du Moyen Age au début de la Renaissance, le roman cherche sa voie dans toutes les directions : après avoir emprunté ses sujets à l'Histoire ou aux légendes antiques (**Romans d'Alexandre** ou **de Troie**), le *romancëor* ou romancier puise ses sources dans la « Matière de Bretagne », c'est-à-dire dans les aventures des chevaliers de la Table Ronde qui entouraient le roi Arthur, héros semi-légendaire de Grande-Bretagne.

Le roman courtois trouve avec Chrétien de Troyes (cf. p. 10) un maître incontesté. Après lui, plusieurs tendances s'amorcent : le roman dit « d'aventure » (**le Châtelain de Coucy, la Châtelaine de Vergy**[2]) ; la « chantefable » qui mêle des parties en vers destinées à être chantées au récit en prose (**Aucassin et Nicolette**) ; le roman allégorique (**le Roman de la Rose**, de Guillaume de Lorris, continué par Jean de Meung, 1277) ; le roman populaire où la fable illustre une morale (**le Roman de Renart**) ; des recueils licencieux (1440, **les Quinze Joyes de mariage** ; 1486, **les Cent Nouvelles nouvelles**).

C'est à cette période que se manifeste en France l'influence du Florentin Boccace et de son **Décaméron** (1350-1353), dont la traduction française, dédiée à Marguerite de Navarre, paraît en 1545. Sept femmes et trois hommes, réunis à la campagne pour fuir la peste de 1348, sont les narrateurs de ces cent *nouvelles* gaies ou pathétiques. Marguerite de Navarre reprend le procédé dans l'**Heptaméron** (cf. p. 14).

Marguerite de Navarre et Rabelais, dont le **Gargantua** (cf. p. 16) s'inspire d'une chronique populaire, expriment les idées et les idéaux de leur époque dans des ouvrages qui élargissent la notion de roman mais se rattachent à une tradition ininterrompue. Le roman n'est pas encore né : une œuvre que seul un patient travail de restauration a, des siècles plus tard, rendue parfaite, n'en avait pas moins dès le XIIe siècle tracé un modèle : **Tristan et Iseut** (cf. p. 12), avec la situation à trois personnages et les conflits de l'amour et du pouvoir, semble annoncer, dans des registres différents, **la Princesse de Clèves** de Mme de Lafayette au XVIIe siècle, **la Nouvelle Héloïse** de Jean-Jacques Rousseau au XVIIIe, **le Lys dans la vallée** de Balzac au XIXe.

2 Ces ouvrages sont actuellement accessibles dans la collection Stock-Plus.

1. Romans de la Table Ronde[1], *1162/1182*

CHRÉTIEN DE TROYES

Tandis que dans la seconde moitié du XIIe siècle les bâtisseurs érigent la nef de Notre-Dame de Paris, un homme du Nord écrit l'ouvrage qui peut être considéré comme le premier roman français : **Érec et Énide**

Érudit, Chrétien de Troyes *(1135-1183)* s'inspire des vieilles légendes celtiques. De sa vie, nous savons peu de chose : c'est son œuvre qui nous éclaire sur cette personnalité majeure du Moyen Age.

1162, Érec et Énide.
1164, Cligès ou la fausse morte.
1168, Lancelot le chevalier à la charrette.

1172, Yvain le chevalier au lion.
1182, Le Conte du Graal ou Perceval.

Bien que ces romans se présentent comme des récits séparés, ils forment un cycle : tous concernent le roi Arthur, roi de « Grande-Bretagne », qui s'était illustré comme défenseur des Bretons contre les envahisseurs saxons au Ve siècle. Ses chevaliers, parmi lesquels Érec, Lancelot, Yvain, Gauvain, se réunissaient autour d'une *table ronde* pour éviter les préséances. Chacun de ces chevaliers devient, à tour de rôle, le héros d'un roman différent. Ainsi s'instaure un « retour des personnages », du roi, de la reine Guenièvre, des chevaliers, qui, avec l'unité de lieu (le château de Caradigan, la forêt de Brocéliande, et les environs), assure l'homogénéité de l'ensemble. Tous ces romans sont écrits en octosyllabes à rimes plates.

` *Érec et Énide* : Érec, fils du roi Lac, séduit une jeune fille, Énide, l'emmène à la cour du roi Arthur et l'épouse. Mais bientôt, l'amour lui fait négliger ses devoirs de chevalier. Une nuit, Énide, le croyant endormi, le lui reproche à haute voix. Il décide alors de partir à l'aventure et, pour la punir, la condamne au silence. Cependant, elle enfreint l'ordre en l'avertissant d'un

---

1. Folio, *Romans de la Table Ronde / Perceval.*

danger qui le menace. A leur retour, Érec est couronné roi et l'amour triomphe.

Cligès : ce roman offre quelque ressemblance avec *Tristan et Iseut* (cf. p.12). Cligès, fils de l'empereur de Constantinople, s'est épris de Fénice, l'épouse de son frère Alexis. Après avoir vainement lutté contre leur passion, les deux jeunes gens s'enfuient et se réfugient à la cour du roi Arthur. Alexis en meurt de chagrin. Cligès, couronné empereur, peut épouser Fénice.

Lancelot : il délivre la reine Guenièvre prisonnière, qu'il aime; mais son honneur lui commande de renoncer à elle.

Yvain : accompagné d'un lion auquel il a sauvé la vie, il cherche, d'exploit en exploit, à obtenir le pardon de sa dame qu'il a trop longtemps délaissée.

Perceval : bouleversé par la rencontre de chevaliers, il se rend à la cour du roi Arthur d'où il part à la quête du Graal, ce vase sacré qui aurait recueilli le sang du Christ.

● **Le schéma :** il est à peu près identique dans chaque cas. A la suite d'une rencontre fortuite ou insolite, un chevalier est lancé dans des aventures ; il rencontre l'amour, connaît des épreuves ; un conflit se dessine, dont il triomphe bientôt. On trouve toujours une opposition du Bien (honneur à défendre, victoire de la pureté et du courage) et du Mal (pièges à déjouer, méchanceté des félons).

● **Le « merveilleux » médiéval :** il persiste (enchantements de la forêt, métamorphoses, bestiaire fabuleux). Chrétien de Troyes se distingue par l'art avec lequel il maintient l'équilibre entre la fantaisie (richesse de l'imagination) et la vérité (réalisme de la description).

● **L'analyse :** Chrétien fait surtout figure de novateur par la finesse de l'analyse psychologique (*Yvain*, p. 291) : celle-ci caractérisera le roman français de toutes les époques.

Opéra :	Richard Wagner, *Parsifal* (1877-1879).
	Ernest Chausson, *le Roi Arthus* (1896).
Cinéma :	Robert Bresson, *Lancelot du Lac* (1974).
	Éric Rohmer, *Perceval le Gallois* (1978).
	Adaptation parodique :
	Monty Python, *Sacré Graal* (1974).

2. Le Roman de Tristan et Iseut[1],

1170/1190

S'il revient à Chrétien de Troyes d'avoir donné à notre littérature sa première œuvre personnelle, *Tristan et Iseut,* l'un des plus beaux romans d'amour jamais écrits, n'a pas un seul auteur, mais plusieurs. Le texte que nous connaissons n'est qu'une mosaïque de fragments patiemment assemblés et harmonisés.

Ce n'est qu'en 1900 que l'historien Joseph Bédier s'est livré sur ces vestiges mutilés par le temps à un travail d'archéologue et de restaurateur. Homogénéisant les divers fragments, restituant les parties perdues, il a fait de l'œuvre collective un seul et merveilleux roman.

Les Fragments :	*La Folie Tristan.*
Thomas, 3150 vers *(1158-1180).*	Marie de France, Douze lais : *Le lai du Chèvrefeuille*[2].
Béroul, 4500 vers *(1170-1191).*	

Tristan et Iseut raconte l'histoire de deux êtres qu'une supercherie du destin a réunis dans un amour auquel même la mort n'est pas capable de mettre fin. C'est par hasard que la barque de Tristan, à bord de laquelle, sans rames ni voiles, avec sa seule harpe, il dérive, infecté par une blessure, le mène vers Iseut, la belle aux cheveux d'or. Guéri par ses soins, Tristan revient en Cornouailles, à la cour du roi Marc, son oncle. Mais quand celui-ci, qui cherche une épouse, entend parler de la jeune fille que son neveu a rencontrée en Irlande, il décide de la faire venir à sa cour. Il délègue Tristan qui obtient pour lui la main d'Iseut. Mais au cours de la traversée qui ramène les jeunes gens en Cornouailles, une enfant leur sert par erreur un philtre magique : « Non, ce n'était pas du vin, c'était la passion, c'était l'âpre joie et l'angoisse sans fin, et la mort » (p. 46).

Les voici unis pour l'éternité. Nul pouvoir ne peut les séparer.

---

1. La version utilisée a été celle de Joseph Bédier dans l'Édition d'Art H. Piazza. On trouve la version d'André Mary dans la collection Folio sous le n° 452.
2. Le lai était un petit poème lyrique généralement composé en octosyllabes.

Cependant, le roi Marc épouse Iseut. Contre leur gré, les amants deviennent adultères, car rien, ni la séparation, ni les épreuves, n'affaiblit leur passion. Les trouvant endormis dans la forêt, une épée entre leurs deux corps, le roi Marc les prend en pitié. Il demande un jour à son neveu, qu'il n'a pas reconnu, parce qu'il s'est rasé et grimé comme le fou du roi : « Si je te donne la reine, qu'en voudras-tu faire ? Où l'emmèneras-tu ?
— Là-haut, entre le ciel et la nue, dans une belle maison de verre. Le soleil la traverse de ses rayons, les vents ne peuvent l'ébranler ; j'y porterai la reine en une chambre de cristal, toute fleurie de roses, toute lumineuse au matin quand le soleil la frappe » (p. 193). Le poète nous fait entrer dans la mort comme dans un mirage. Blessé par un coup de lance empoisonnée, Tristan agonise. Iseut, qu'il appelle au secours, le rejoint trop tard. Tristan, trahi par une autre Iseut, qu'il avait épousée, n'aura pas su que celle qu'il aimait viendrait mourir contre lui. Nul ne coupera la ronce qui, jaillie d'une tombe, s'enfonce dans l'autre et prend racine dans leurs cœurs.

● **Le merveilleux** : « Tristan, dit la reine, les gens de mer n'assurent-ils pas que ce château de Tintagel est enchanté et que, par sortilège, deux fois l'an, en hiver et en été, il se perd et disparaît aux yeux ? Il s'est perdu maintenant. N'est-ce pas ici le verger merveilleux dont parlent les lais de harpe : une muraille d'air l'enclôt de toutes parts ; des arbres fleuris, un sol embaumé ; le héros y vit sans vieillir entre les bras de son amie et nulle force ennemie ne peut briser la muraille d'air » (p. 66).

● **L'amour courtois** : passion mystérieuse et fatale, il résulte d'une quête (Tristan part à la recherche d'Iseut), connaît les épreuves (soupçons, trahisons, exils) et n'atteint son apothéose que dans la mort.

● **L'influence** : le merveilleux épique et féerique des romans bretons auxquels se rattache *Tristan et Iseut*, des « belles errances du royaume d'Arthur » selon l'expression de Dante, a enchanté les arts de tous les siècles jusqu'à la fin du nôtre. Il est de ces légendes si enracinées qu'elles constituent le fondement même des aspirations humaines.

Opéra :   Richard Wagner, *Tristan et Isolde* (1857-1859).
Cinéma :   Jean Delannoy et Jean Cocteau, *l'Éternel Retour* (1943).

3. L'Heptaméron[1], 1542-1549

MARGUERITE DE NAVARRE

Sœur de François 1er, Marguerite d'Angoulême (1492-1549) épouse en secondes noces Henri II d'Albret, roi de Navarre. Elle soutient à la fois les débuts de la Renaissance et ceux de la Réforme. Elle accorde une protection de souveraine déjà éclairée aux poètes (Marot, Bonaventure des Périers) et aux Humanistes qui séjournent à sa cour.

1547, *Les marguerites de la Marguerite des Princesses* (recueil de poèmes).

1558, Parution des 72 contes de l'*Heptaméron*

Primitivement intitulé *Histoire des amants fortunés,* ce recueil de nouvelles fut baptisé l'*Heptaméron*[2] par l'imprimeur.

L'œuvre se présente comme une suite de soixante-douze nouvelles réparties en *journées.* Chaque nouvelle est composée d'un récit suivi d'un commentaire. Un prologue général expose l'aventure de dix voyageurs, cinq gentilshommes et cinq dames, arrêtés dans une abbaye.

Pour occuper leurs journées, ils racontent à tour de rôle, selon une alternance propre à rompre la monotonie, des histoires joyeuses ou sérieuses, de longueur et de ton inégaux, mais « qui seront toutes véritables ». Ce sont donc dix histoires authentiques, voire personnelles, qui donnent quotidiennement lieu à des échanges de points de vue et à des commentaires. Chaque soir, après souper, une promenade est de rigueur. Et chaque matin, Madame Oisille[3], levée la première, commente les Saintes Écritures ; puis, chacun puise dans sa mémoire, rafraîchie par la nuit, une histoire nouvelle. Un bref résumé en tête de chacun de ces contes, conçus et écrits à la manière de

---

1. Classiques Garnier.
2. En grec, ἑπτά : « sept » et ἡμέραι : « journées ». Le recueil ne comporte en effet que sept journées et deux nouvelles de la huitième.
3. Louise de Savoie, mère de Marguerite, qui se présente elle-même sous le nom de Parlamente.

Boccace, en fait connaître le sujet. Un prologue expose le thème de chacune des journées.

Dans les lieux les plus divers (à Paris ou en province, en Italie, en Espagne, en Allemagne), dans les milieux les plus variés (à la cour de Naples ou de Castille, chez le duc de Florence ou la duchesse de Bourgogne, parmi les gentilshommes et les damoiselles), ce ne sont que mauvais tours joués par les femmes à leur mari, ou l'inverse, entreprises déloyales de moines polissons, roueries de religieuses alertes, où la vertu tient autant de place que les gaillardises.

● **Un réalisme galant :** les récits mêlent un réalisme cru, qui surprend sous la plume d'une princesse aussi raffinée, mais reste dans la tradition du Moyen Age, et un véritable code de galanterie qui annonce les excentricités du XVIIe siècle (cf. p. 20).

● **La psychologie :** la peinture libre, mais sincère, de l'amour prépare davantage *la Princesse de Clèves* que la « Carte du Tendre ». C'est dans le commentaire des « devisants » ou narrateurs que réside le véritable roman psychologique. L'ambiguïté des propos sur les problèmes moraux suggérés par les anecdotes révèle la disparité des caractères, tandis qu'au fil des jours, s'instaure entre les convives, enfermés dans leurs souvenirs, une sorte d'incommunicabilité.

● **La femme :** refusant les situations traditionnelles, Marguerite de Navarre tire leçon des situations véridiques. Au-delà de ces épisodes de maris trompés, de valets effrontés, de chanoines paillards, de bourgeois bernés ou de gentilshommes mystifiés, derrière la satire, c'est la condition de la femme qui est en cause. La trame romanesque laisse clairement apparaître la réflexion de cette femme du XVIe siècle sur sa propre condition. Elle revendique l'égalité des sexes devant le Bien comme devant le Mal.

4. Gargantua/Pantagruel[1], 1532 à 1564

FRANÇOIS RABELAIS

Né à la fin du XVe siècle, vers 1494, à Chinon, cet humaniste, successivement moine, puis médecin, aura largement dépassé la quarantaine sans avoir publié un seul livre. Sa vie, souvent errante, de Montpellier à Lyon, de Ligugé à Rome, est marquée par une suite de condamnations pour obscénités et de persécutions qui l'atteindront jusque dans sa cure de Meudon en 1552. Il meurt l'année suivante.

A l'époque de Rabelais, l'imprimerie vient d'être inventée et de petits almanachs sont colportés dans les foires. L'un d'eux fournit à Rabelais l'idée de son œuvre. Il s'intitulait *les Grandes Chroniques du grand et énorme géant Gargantua,* sorte de roman fantastique où Gargantua, géant créé par l'enchanteur Merlin, vainc en Angleterre les ennemis du roi Arthur.

1532, *Pantagruel.*	**1547-1552,** *Quart Livre.*
1534, *Gargantua.*	**1564.** *Cinquiesme Livre*
1546, *Tiers Livre.*	(posthume).

Cet ensemble romanesque comporte cinq livres : chronologiquement, *Pantagruel* a paru deux ans avant *Gargantua,* dont il raconte cependant la suite. L'idée d'une œuvre homogène, rassemblant les aventures des trois générations de géants : Grandgousier, Gargantua, Pantagruel, n'est venue à Rabelais qu'après 1546. La trame, qu'il serait présomptueux de vouloir réduire à une intrigue cohérente, défie l'analyse. Les 251 chapitres sont introduits par l'adverbe « Comment ...».

Les aventures de *Gargantua :* après la description de la naissance « bien estrange » de Gargantua, fils de Grandgousier et de Gargamelle, et le récit de son éducation par des pédagogues traditionnels, nous suivons le géant à Paris où il

---

1. Bibliothèque de la Pléiade.

s'empresse de dérober les cloches de Notre-Dame pour les suspendre au cou de sa jument. Rappelé par son père, dont le territoire (lilliputien) a été envahi par Picrochole, il dirige lui-même les opérations, tandis que Frère Jean des Entommeures se livre à des exploits spectaculaires. La victoire de Gargantua est célébrée par la fondation de l'abbaye de Thélème, dont la règle, fort peu monastique : « Fay ce que vouldras », est un code de libre arbitre entre le vice et la vertu.

Les aventures de *Pantagruel* **:** Pantagruel a hérité de son père une force colossale et une capacité stupéfiante d'absorption de nourriture et de boisson. Après une enfance marquée par des actions hors du commun, il parcourt les universités. A Orléans, il rencontre un écolier limousin au langage curieux. A Paris, il visite les bibliothèques, exhorté par son père qui désire pour lui une éducation moderne. Il fait la connaissance de Panurge, le rusé ; d'Épistémon, le savant ; d'Eusthènes, le fort ; de Carpalim, le rapide. Pantagruel, grâce aux stratagèmes de Panurge, libère son pays, l'Utopie, envahi par un peuple voisin, les Dipsodes, et conquiert même le territoire ennemi

Le *Tiers Livre* pose la question du mariage de Pantagruel. On interroge à ce sujet une sorcière, un muet, un vieux poète nommé Raminagrobis, un philosophe, un fou, et le juge Bridoye. Tant de délibérations ne font qu'accroître la perplexité de tous. On décide alors de s'en remettre au mystérieux oracle d'une non moins mystérieuse « Dive Bouteille ».

Le voyage vers « Catay en Indie supérieure » où réside Bacbuc, la *Dive Bouteille,* occupe le *Quart Livre.*
L'épisode des moutons de Panurge y prend place. Panurge marchande avec Dindenault un de ses moutons dont celui-ci demande un prix exorbitant (ch. VI & VII). Au terme d'inénarrables palabres, Panurge tire des écus d'or de son escarcelle et paie comptant « un beau et grand mouton ». Or voici que soudain, il le jette en pleine mer, criant et bêlant ! Et tout le troupeau de le suivre et de périr à son tour dans les flots, bientôt imité par le marchand ruiné ! « Jamais homme ne me feist plaisir sans récompense, ou recongnoissance pour le moins... Jamais homme ne me feist desplaisir sans repentance, ou en ce

monde, ou en l'autre » (p. 561). Cette fable sera reprise par Voltaire dans *Candide* (cf. p. 32), où les moutons volés à Candide par un marchand malhonnête se retrouvent noyés lors d'un naufrage (ch. XIX & XX).

De nombreuses îles sont visitées dont les habitants font l'objet de satires diverses.

Ce n'est qu'au *Cinquiesme Livre* que Pantagruel et ses compagnons sont enfin conduits au Temple de la Dive Bouteille et qu'ils reçoivent de la bouche de « la pontife Bacbuc » l'oracle fameux : « Trinch ». « Trinchons, dist Panurge », c'est-à-dire « buvons ». Les principaux épisodes de ce dernier livre sont ceux de l'*Isle sonante,* où les cloches résonnent toute la journée et dont les habitants se sont métamorphosés en oiseaux, et des *Chats-fourrez,* où l'archiduc Grippeminault donne l'occasion d'une satire cruelle de la corruption de la justice.

● **Parodie des romans chevaleresques :** longtemps avant Don Quichotte, Pantagruel est un chevalier moderne. Mais les aventures dont il est le héros, sont fantastiques ou burlesques. Le réalisme médiéval, boursouflé à l'excès par Rabelais, y devient *baroque,* c'est-à-dire délivré de toutes règles, et laissé à une grande liberté d'expression (*Gargantua,* ch. XXVII, p. 85).

● **La verve :** la surcharge même, le délire verbal qui s'empare de Rabelais avide de tout dire à la fois en accumulant les mots, font de ce roman un chef-d'œuvre du langage, un impressionnant exercice de style où le lecteur est saisi de vertige devant la verve de l'auteur. Qu'on lise la liste des jeux de Gargantua (ch. XXII, p. 65-67) ou les colonnes d'épithètes que frère Jean débite à Panurge comme des litanies (*Tiers Livre,* ch. XXVIII, p. 430-432). Quand les mots manquent, Rabelais les invente (*Pantagruel,* ch. VI, p. 192).

● **Les leçons :** la fantaisie démesurée du pastiche et le désordre des digressions masquent le sens sérieux. Le recours au passé légendaire n'est qu'une illustration frénétique du monde contemporain. Rabelais examine successivement :

— **L'éducation,** qu'il veut conforme à l'esprit de l'Humanisme (un champ ouvert à la connaissance ; un idéal moral, religieux et politique). Dans une lettre à son fils,

Gargantua trace le programme d'instruction dont rêvaient tous les humanistes de la Renaissance (*Pantagruel,* ch. VIII, p. 203) : « Mais, parce que selon le saige Salomon sapience n'entre point en âme malivole et science sans conscience n'est que ruine de l'âme, il te convient servir, aymer et craindre Dieu, et en luy mettre toutes tes pensées et tout ton espoir...» (p. 206).

— **L'Église,** qui n'en échappe pas davantage à sa satire. Les oiseaux de l'*Isle sonante* s'appellent Monesgaulx, Prestregaulx, Abbegaulx, Evesquegaulx, Cardingaulx et Papegaulx ; Evesgesses, Cardingesses et Papegesses. Les huit chapitres de cet épisode du *Cinquiesme Livre* (p. 751-771) fournissent à Rabelais l'occasion de tourner en ridicule les institutions religieuses. Les oiseaux qui peuplent cette île, enfermés dans des cages, ne diffèrent des hommes que par le plumage, et ils chantent quand les cloches sonnent.

— **La Justice,** qui, au pays des *Chats-fourrez* (les magistrats), vit de corruption (*Cinquiesme Livre,* ch. XI à XV, p. 775-788).

● **La satire :** elle s'exprime par fables ; la société des hommes est représentée par des sociétés animales en miniature dans les îles que visite Pantagruel et qui sont autant de microcosmes reflétant le monde dans leur miroir grossissant. Les portraits individuels des hommes et des institutions, tout divertissants et railleurs qu'ils soient, nous invitent à universaliser les leçons que nous tirons de cette vision facétieuse et forte.

● **La morale :** le propre de Rabelais, c'est le rire, bruyant et inextinguible. La générosité l'emporte toujours sur la malice. Le bonheur de vivre éclate jusque dans le symbole final : au pays où ce sont les bouteilles qui rendent les oracles, que signifie cet ordre ? Trinch ! Bois ! Comment faut-il interpréter ce mot ? Que faut-il boire ? C'est de l'ivresse du savoir qu'il s'agit, d'une avidité de saisir de toutes parts ce monde qui, pour l'homme de la Renaissance, sort peu à peu de sa nuit.

Cette œuvre ne ressemble à aucune autre. Par elle se dénoue la crise qui avait marqué le passage du Moyen Age à la Renaissance. Elle explose brusquement au cœur du XVIe siècle, n'héritant du monde médiéval encore proche que pour mieux se délivrer de l'Histoire et s'interroger sur l'homme éternel.

Opéra-comique : Claude Terrasse, *Pantagruel* (1911).

B. AU XVIIᵉ SIÈCLE :

PRÉCIOSITÉ, RÉALISME, PASSION, RAISON

Les romans de ce siècle de théâtre qui auront franchi le cap du Temps donnent une image fausse des faveurs du grand public. Entre 1660 et 1700, plus de six cent cinquante romans ont fait la fortune des libraires avant d'être jetés aux oubliettes.

Même si on ne lit plus les six mille pages de l'**Astrée** (1607-1628) d'Honoré d'Urfé, on trahirait le goût d'une époque en l'escamotant. On y voit plus de cent personnages en proie aux préoccupations amoureuses. Leurs aventures, en vers ou en prose, se côtoient et se croisent dans un imbroglio rare. Le fil d'Ariane de ce labyrinthe de sentiments est l'amour que le berger Céladon éprouve pour la bergère Astrée. Au terme de mille péripéties, Céladon rentre en grâce auprès de la jeune fille qui l'avait injustement banni. Le roman pastoral se condamne par ses propres excès.

Le roman d'inspiration antique, délaissé depuis Chrétien de Troyes au profit de fictions plus modernes, bénéficie d'un engouement pour l'Histoire, science encore neuve. Que de héros aux noms évocateurs ! Polexandre, Cythérée, Ariane, Cassandre... Avec Madeleine de Scudéry, le genre atteint des sommets vertigineux : **le Grand Cyrus** (1649-1653) et **la Clélie** (1654-1661) seront raillés par Molière dont les Précieuses Ridicules font leurs délices de ces dédales d'énigmes galantes. Gorgibus y dénonce le préjudice de cette littérature factice sur des esprits fragiles : « Et vous, qui êtes cause de leur folie, sottes billevesées, pernicieux amusements des esprits oisifs, romans, vers, chansons, sonnets et sonnettes, puissiez-vous être à tous les diables ! » (scène XVII).

En même temps, des influences venues d'Espagne se font sentir. La traduction française d'un roman ibérique, **Amadis de Gaule,** de Garcìa Ordoñez de Montalvo, avait, dès 1540, popularisé la figure du chevalier errant dévoué corps et âme à sa dame. Entre 1605 et 1615 paraît le chef-d'œuvre de Cervantès,

Don Quijote de la Mancha. Le personnage du chevalier y prend une toute autre dimension : combattu par une réalité implacable, c'est un idéaliste au grand cœur qui s'abandonne à ses chimères. La charge chez Rabelais était comique ; avec Cervantès, elle prend une couleur tragique.

Deux autres œuvres de Cervantès eurent une influence sur le roman français : **Galatée,** renouant avec les églogues et les bucoliques antiques[1], suscite l'intérêt des lecteurs pour les amours de bergers et de bergères sur paysage d'Arcadie ; les **Nouvelles exemplaires** qui font passer les Pyrénées au *picaro* (cf. p. 48), fripon qui, dans le roman espagnol (les **Aventures de Lazarille de Tormes,** 1554, par exemple), intrigue de tous côtés, sorte de Figaro avant la lettre, espiègle et opportuniste. Un genre est né : le roman picaresque, représenté dès 1623 par l'histoire quelque peu libertine de **Francion** de Charles Sorel.

Deux réactions se manifestent aux divagations qui affectent maintenant le roman de chevalerie et au torrent verbal qui les accompagne : le roman réaliste, représenté par **le Roman bourgeois** de Furetière (1666), œuvre encore très agréable à lire, et surtout **le Roman comique** de Scarron (cf. p. 22), qui atteste de l'influence espagnole ; un effort d'analyse psychologique, qu'il s'agisse de la passion exacerbée de la Religieuse portugaise (cf. p. 24) ou des refoulements de l'amour auquel la raison oppose son veto. Tandis que l'enflure du roman de chevalerie crève, tout conspire pour l'éclosion d'un chef-d'œuvre : **la Princesse de Clèves** (cf. p. 26) finira ce que **Tristan** a commencé.

---

1. Poèmes pastoraux. Les *Bucoliques* de Virgile se composent de dix courts dialogues de bergers, appelés *églogues* (42-39 av. J.-C.).

5. Le Roman comique[1], 1651/1657

SCARRON

Qu'aurait-on retenu de la vie de Paul Scarron (1610-1660) si sa veuve, Françoise d'Aubigné, petite-fille de l'auteur huguenot des *Tragiques,* n'était devenue Madame de Maintenon ?

Après avoir su concilier la fréquentation des évêques et celle des libertins, Scarron se vit condamné à l'infirmité et à la pauvreté sans que rien n'entamât sa bonne humeur.

On a oublié ses vers burlesques et son théâtre. A peine sait-on ce que *le Capitaine Fracasse* de Théophile Gautier (1863) doit au *Roman comique.*

1648-1653, *L'Énéide traves-* *tie.*	*Le Roman comique :*
	1651, Première partie.
1655-1657, *Nouvelles tragi-* *comiques.*	**1657**, Deuxième partie.
	1663, Troisième partie (posthume et anonyme).

La composition est complexe. Ce roman est *comique* parce qu'il relate, en toile de fond, les tribulations d'une troupe de *comédiens* ambulants, peut-être celle de Molière. Scarron décrit les représentations, les avatars des tournées en province, la vie des tréteaux et des tripots. Sur cette trame se dessine l'aventure de deux jeunes gens, Garigues et Mademoiselle de la Boissière, qui, pour échapper à un seigneur qui les persécute, décident de partager l'existence des comédiens.

Comme l'action se déroule en province, Scarron exerce sa verve parodique sur le poète Roquebrune, l'avocat Ragotin, le gentilhomme campagnard M. de la Baguenodière. Les situations cocasses se succèdent, pas toujours dans le meilleur goût, comme l'aventure du pot de chambre (ch. VI) qui rappelle Boccace.

En outre, certains des multiples personnages interrompent le déroulement de l'intrigue linéaire pour nous intéresser à leur propre histoire. Ces digressions (Histoire de Léandre, de Destin et de Mademoiselle de l'Étoile, de la Caverne) donnent à

1. Classiques Garnier.

Scarron l'occasion de substituer au récit chronologique des retours en arrière.

Des épisodes à l'espagnole (Histoire de l'Amante invisible, Les deux Frères rivaux) sont incorporés à la trame romanesque.

● **La satire :** cette fantaisie dans la composition est un indice des intentions de Scarron : réagir contre la discipline et les conventions mondaines. Il se moque de Mademoiselle de Scudéry et des auteurs à la mode. Il fait, selon le mot de Charles Sorel, « raillerie de tout ».

● **Le pittoresque :** les tableaux qui composent *le Roman comique* constituent, par la concision du récit et le caractère familier des personnages et des situations, une réaction contre l'héroïsme d'apparat et le vain remplissage des romans contemporains. « Je ne vous dirai point exactement s'il avait soupé et s'il se couche sans manger, comme font quelques faiseurs de romans qui règlent toutes les heures du jour de leur héros, les font lever de bon matin, conter leur histoire jusqu'à l'heure du dîner, dîner fort légèrement et après dîner reprendre leur histoire ou s'enfoncer dans un bois pour y parler tout seuls... » (p. 29-30).

● **Le réalisme :** la fantaisie burlesque ne l'exclut pas. Scarron s'acharne dans la caricature de la société de son siècle et, avant Honoré de Balzac, dans la peinture des mœurs de province. Il reste dans la tradition des romans réalistes et satiriques qui avaient vu le jour au XVe siècle. Il prend le contrepied de son époque et illustre une tendance réactionnaire aux débordements du roman pastoral et du roman héroïque.

● **Un précurseur :** retraçant, comme Corneille dans *l'Illusion comique* (1636), l'existence nomade et colorée des comédiens, il s'interroge sur leur condition d'artistes, comme plus tard, magistralement, Diderot dans *le Paradoxe sur le comédien*. A beaucoup d'égards, Scarron est en avance sur son siècle.

6. Les Lettres portugaises, 1669

GUILLERAGUES

Les cinq Lettres qui constituent le roman épistolaire connu sous le titre de *Lettres portugaises,* posent une énigme. Elles furent présentées d'abord comme la traduction en français d'une correspondance adressée par une religieuse portugaise à un gentilhomme qui servait au Portugal.

En 1810, cent quarante ans après la publication, on crut identifier l'héroïne : une religieuse franciscaine du couvent de Béja, Mariana Alcoforada, délaissée par un officier français dont elle se serait éprise.

En 1926, la découverte d'un document préservé à la Bibliothèque Nationale permit d'authentifier l'œuvre. L'auteur semble bien être Guilleragues (1628-1685), homme à l'existence curieuse, ami de Molière et de Racine, secrétaire de Louis XIV et intime de Mme de Maintenon, ambassadeur à Constantinople. Sa seule œuvre serait alors un chef-d'œuvre.

C'est l'année même de l'échec de *Britannicus,* un an avant *Bérénice* de Racine, qu'éclate ce cri du cœur. En ce siècle où le théâtre est roi, la passion la plus brûlante fait son entrée dans le domaine romanesque sous forme d'un long monologue dicté par le désespoir, puis par la colère, et enfin par la résignation.

La Religieuse écrit à son amant, qui est reparti pour la France, cinq longues lettres que lui porte un officier. L'anecdote tient bien peu de place. C'est à peine si l'on sait que le jeune homme a dû faire escale sur les côtes portugaises. Les raisons de son départ nous demeurent inconnues.

A ces lettres passionnées, aucune réponse convenable n'est donnée. Ce sont d'abord des messages remplis de « choses inutiles » ; puis un silence de six mois, qui exaspère cet être ardent et meurtri ; et enfin la signification d'une rupture à laquelle la Religieuse est prête à se soumettre : « Je vous écris pour la dernière fois, et j'espère vous faire connaître, par la différence des termes et de la manière de cette lettre, que vous m'avez enfin persuadée que vous ne m'aimiez plus, et qu'ainsi je ne dois plus vous aimer... » (Cinquième lettre).

A la souffrance de la séparation définitive, d'autant moins supportable qu'elle renvoie la Religieuse à l'austérité et à la solitude du couvent, s'ajoutent les tourments de l'imagination. Elle rêve la vie de son amant comme une suite d'infidélités, tandis qu'enfermée elle se laisse dévorer par une unique et constante passion. Le renoncement dont elle se démontre à elle-même la douloureuse nécessité n'est qu'apparent. Et comment cesserait-elle d'écrire des lettres qui ne s'adressent qu'à elle-même, qui ne sauraient convaincre qu'elle-même, et qui n'entretiennent qu'en elle-même les ravages d'un cœur qui se complaît de sa propre désolation : « Adieu, aimez-moi toujours ; et faites-moi souffrir encore plus de maux » (Première lettre) ?

● **Une analyse pour soi-même des affres de la passion :** « Suis-je obligée de vous rendre un compte exact de tous mes divers mouvements ? » (Cinquième lettre). Tel est le recours d'un esprit profondément blessé qui passe par toutes les alternatives (supplications, reproches, menaces) avant de sombrer dans le désespoir de l'impuissance.

● **L'introspection :** cette analyse estompe jusqu'à la réalité de la personne aimée : « J'écris plus pour moi que pour vous » (Quatrième lettre). Nous assistons à un face à face de l'être avec sa propre passion, à un assouvissement par la confession écrite, à un effort de lucidité qui n'aboutit qu'à la confusion des sentiments. Un enchantement, mais vénéneux.

Pour la première fois, le roman est un moyen de connaissance du Moi. L'introspection en est le seul ressort.

Ce roman par lettres est un document. Guilleragues, s'il en est l'auteur, fait preuve d'une singulière perspicacité. Avec quelle intuition il a su saisir les remous de ce cœur avide d'aimer ! Mais Racine en avait-il fait autrement avec *Phèdre* (1677) ?

7. La Princesse de Clèves[1], 1678

MADAME DE LAFAYETTE

Née en 1634, au temps des premières comédies de Corneille, Marie-Madeleine de la Vergne épouse en 1655, alors que Molière débute, le comte de Lafayette. Sa vie, d'abord en Auvergne, puis à Paris, est tout entière consacrée à ses enfants et à ses amis, Mme de Sévigné et La Rochefoucauld. Elle meurt en 1693, quand Racine a depuis deux ans déjà donné sa dernière tragédie.

1662, *La Princesse de Mont- pensier.*
1670, *Zaïde.*

1678, *La Princesse de Clèves.*
1720, *La Comtesse de Tende* (posthume).

Lorsque Mlle de Chartres, « un des plus grands partis qu'il y eût en France » (p. 248), fait son entrée à la cour d'Henri II, le prince de Clèves tombe aussitôt passionnément amoureux d'elle et souhaite l'épouser. Le mariage a lieu. Mais « M. de Clèves ne trouva pas que Mlle de Chartres eût changé de sentiment en changeant de nom. La qualité de mari lui donna de plus grands privilèges ; mais elle ne lui donna pas une autre place dans le cœur de sa femme » (p. 268). Cependant ce mariage médiocre semble être à l'abri des orages et la joie de M. de Clèves est plus troublée par sa passion sans écho que par une jalousie injustifiée.

A un bal au Louvre, Mme de Clèves fait la connaissance de M. de Nemours qui éprouve pour elle une violente inclination bientôt partagée. Les conseils de sa mère, la peur qui s'empare d'elle devant les progrès de cette passion réciproque, la conduisent à s'en ouvrir à M. de Clèves. Mais il se méprend sur cet aveu qui ne fait qu'éveiller des soupçons qui, peu à peu, l'accablent au point de l'emporter en quelques jours. Libre maintenant, mais saisie de remords, Mme de Clèves signifie à M. de Nemours, au cours d'une conversation dramatique

1. Classiques Garnier.

(p. 382-389), qu'elle ne l'épousera pas. Son désespoir ne la convainc pas. Le reste de sa courte vie « laissera des exemples de vertu inimitables » (p. 395).

● **L'Histoire :** Madame de Lafayette donne à son roman un cadre historique : la cour d'Henri II de Valois, roi de France de 1547 à 1559. Cependant son héroïne est imaginaire, tandis qu'elle s'inspire d'un personnage authentique, mais secondaire, pour créer M. de Nemours. Elle enferme la fiction dans un univers vrai.

● **Le devoir :** il est conçu comme un contrat entre l'individu et la société. L'héroïsme final de Mme de Clèves serait cornélien si elle hésitait entre son devoir et l'amour. Mais il n'y a de place ni pour les incertitudes, ni pour les compromis. La passion ronge les cœurs, mais les consciences ne succombent pas. Par son sens inflexible de la vertu et du devoir, Mme de Clèves est à l'origine d'une lignée de femmes qui ne transigent pas avec la fidélité conjugale : Julie dans *la Nouvelle Héloïse* (Jean-Jacques Rousseau), Charlotte dans *les Souffrances du jeune Werther* (Goethe), Mme de Mortsauf dans *le Lys dans la vallée* (Balzac), Mme de Couaën dans *Volupté* (Sainte-Beuve), même si, comme Mme de Tourvel dans *les Liaisons dangereuses* ou Mme de Rênal dans *le Rouge et le Noir*, elles résistent à peine à la tentation de succomber [2].

Des conflits violents, mais insolubles, surprennent l'héroïne qui n'y est préparée ni par son éducation, ni par le code de bienséances qui régit la société contemporaine. Elle vit comme un songe l'amour coupable.

● **L'équilibre classique :** il met ici le roman à l'abri des excès et lui donne une forme qui survivra aux modes.

Opéra : Jean François, *la Princesse de Clèves*.
Cinéma : Jean Delannoy, *la Princesse de Clèves* (1961).

2. Thème repris par Raymond Radiguet dans *le Bal du comte d'Orgel* (1924).

LE ROMAN AU XVIIIe SIÈCLE

2 | Le cœur aventureux

Au terme de ses premiers tâtonnements, le roman s'est engagé avec **la Princesse de Clèves** dans un chemin nouveau. Il s'est d'abord *différencié* des autres genres. On le distingue du théâtre, de l'épopée, de l'opéra. Mais il n'est pas encore *codifié*. Le sera-t-il jamais ? La variété des romans de l'âge héroïque, la diversité des techniques à l'essai et les outrances qu'avaient subies les thèmes d'inspiration, le prouvent. Il ne s'était agi que de charmer le lecteur, d'enflammer son imagination, de l'amuser parfois en masquant les intentions moralisatrices. A l'inverse des *genres nobles,* Épopée, Tragédie, Poésie, hiérarchisés par Boileau, et qui vont dégénérer dans un formalisme figé, le roman est resté libre, voire anarchique. Certes, face aux abus engendrés par l'absence de règles, s'était amorcée une réaction timide. Mais le champ est encore fertile pour des floraisons ultérieures.

L'ouvrage de Mme de Lafayette était un aboutissement dans la mesure où la tradition courtoise de l'amour d'inclination, contrarié par le devoir et la vertu, s'y épanouissait. Mais le temps des enchantements est révolu. La vérité historique, la réalité contemporaine ont remplacé les mythologies d'antan. Les êtres seront jetés dans des aventures authentiques. Partout où le cœur humain peut faire l'objet d'une analyse, dans toutes les situations où le cœur est le siège des passions, des jalousies, des haines, le romancier en fera son étude. Le XVIIIe siècle à la recherche du bonheur s'est plu dans cette frénésie d'aventures qui avait saisi des cœurs avides d'aimer.

A. LA FABLE PHILOSOPHIQUE

Plus que tout autre genre, le roman paraît apte à peindre les mœurs contemporaines, la réalité de la vie sous tous ses aspects et la multiplicité des sentiments. Il n'est soumis à aucune règle : cette liberté même en fait un merveilleux interprète d'une société qui change et d'hommes qui s'interrogent sur la vérité de leur condition.

Deux écrivains cherchent dans le travestissement romanesque le moyen de critiquer leur époque, l'un, Montesquieu (cf. p. 30), en se mettant à l'abri des censures par un dépaysement de convention, l'autre, Voltaire (cf. p. 32), en faisant de l'humour une arme redoutable contre l'intolérance et l'injustice.

Fénelon les avait précédés : chez lui, la satire de l'Histoire contemporaine est transférée aux régions moins exposées d'un passé légendaire. Dans les **Aventures de Télémaque** (publié en 1699), derrière l'affabulation historique, perce l'allusion à la situation contemporaine. Télémaque, accompagné du sage Mentor, est parti à la recherche de son père, Ulysse. Mais cette Odyssée nouvelle est l'ouvrage d'un précepteur qui a conçu à l'usage du Dauphin, le duc de Bourgogne, petit-fils de Louis XIV, un manuel d'éducation. La préparation au métier de roi révèle en Fénelon un penseur politique et un maître de morale chrétienne. Son épopée en prose réinvente le passé : le but même qui l'inspire en fait un roman au même titre que l'**Émile** de Jean-Jacques Rousseau ; il faut donner à l'exemple les apparences de la vérité pour que la leçon soit efficace.

8. Les Lettres persanes, 1721

MONTESQUIEU

Louis XIV est mort en 1715. La Bruyère avait été le peintre impitoyable d'une fin de règne pourrissante. Qui, après lui, dénoncerait les caractères d'une société qui ne disparaît pas avec le monarque et, sous la Régence, se succède à elle-même ?

Charles de Secondat, baron de Montesquieu (1689-1755), conseiller au Parlement de Bordeaux, membre de l'Académie Française, s'est servi d'un artifice pour livrer un examen acéré des mœurs dont il était l'exact contemporain. La vogue des Lettres attribuées à des Turcs, des Chinois et autres Orientaux, les relations de voyage, lui ont donné l'idée de prêter à des Persans l'observation subtile dont il négligea de se reconnaître le mérite.

1721, *Lettres persanes.*
1734, *Considérations sur les causes de la grandeur et de la* *décadence des Romains.*
1748, *L'Esprit des lois.*

Ce « roman » se compose de 161 lettres, datées d'Ispahan, capitale de la Perse, de Paris et de Venise, qu'échangent un grand seigneur persan en voyage en Europe, Usbek, et le jeune homme qui l'accompagne, Rica, soit entre eux, soit avec leurs amis et les femmes restés en Perse. Une intrigue de sérail qui naît pendant les neuf années de leur absence et s'achève par la révolte et la mort de la favorite, Roxane, sert de cadre romanesque à l'investigation à laquelle se livrent ces deux voyageurs en Occident. Passé le premier étonnement, ou le premier désarroi, un conflit se dessine chez ces Orientaux qui, à mesure qu'ils pénètrent davantage l'univers nouveau offert à leurs investigations, s'éloignent de leurs coutumes et mettent en doute leurs certitudes. La mutinerie du sérail, qui les rappelle à Ispahan, est à l'image du débat qui les agite et ébranle leurs convictions.

Le recueil s'organise en trois parties. Les 24 premières lettres retracent le voyage d'Ispahan à Paris. 123 lettres constituent la chronique du règne de Louis XIV de 1712 à 1715, et de la

Régence de 1715 à 1720. Les 14 dernières lettres peignent le drame du sérail.

Des apologues [1] (les Troglodytes, lettres 11 à 14) ou des contes (lettres 67, 141) contribuent à donner de l'Orient une image divertissante ou pittoresque ; d'autres lettres traitent des idées religieuses ou politiques. Mais le plus grand nombre d'entre elles est consacré aux nations étrangères (France, Venise, Russie, Espagne, Angleterre, Suède), dont Usbek et Rica commentent les aspects qui s'offrent à leur curiosité. L'Occident l'emportera-t-il sur l'Orient désenchanté ?

● **Dépayser** : l'engouement pour l'exotisme (Chardin, *Voyage en Perse,* 1711) suggère à Montesquieu un moyen de séduire le lecteur. Entre *Bajazet* de Racine (1672) et *l'Enlèvement au sérail* de Mozart (1781), il soulève les voiles d'un sérail lointain, les abus de pouvoir, les jalousies, les trahisons, les liaisons furtives. Le désir de vengeance de Roxane s'assouvit par le suicide. Elle revendique ainsi la liberté des femmes soumises au despotisme des hommes : « J'ai pu vivre dans la servitude, mais j'ai toujours été libre ; j'ai réformé tes lois sur celles de la Nature, et mon esprit s'est toujours tenu dans l'indépendance » (lettre 156).

● **Le cosmopolitisme naissant** : il favorise l'arrivée de ces «Étrangers-Symboles», selon le mot de Paul Hazard [2] et la découverte par la vieille Europe en particulier d'un « Orient qui, tout déformé par elle, n'en conservait pas moins assez de force originale pour représenter une valeur non chrétienne, une masse d'humanité qui avait construit à part sa morale, sa vérité, et son bonheur [3] ». La Raison ébranlée, les valeurs imaginatives et sensibles bouleversées, les croyances traditionnelles remises en cause, c'est l'évidence de la relativité des usages qui trouble la conscience des Européens.

● **L'Utopie** : le remède serait peut-être l'Utopie. La fable des Troglodytes montre la faillite des peuples dépourvus de lois et le triomphe de la vertu sur l'injustice. Le tableau idyllique peint dans la lettre 12 annonce l'Eldorado de *Candide*.

---

1. Fable présentant une vérité morale.
2. *La crise de la conscience européenne,* Idées, NRF, tome 1, p. 27.
3. Idem, p. 47.

9. Candide ou l'optimisme, 1759

VOLTAIRE

L'activité débordante de Voltaire (1694-1778) dans tous les domaines : poésie, théâtre, critique, histoire, philosophie, correspondance, laisse quantitativement une place restreinte à ses *Romans et contes* : cependant l'essentiel de sa pensée s'y trouve rassemblé sous une forme plaisante, et c'est avec eux que cet esprit universel et polémique réalise le mieux la synthèse de la perfection classique de la forme et de l'esprit moderne des idées.

1748, *Zadig.*
1752, *Micromégas.*
1759, *Candide.*

1767, *L'ingénu.*
1768, *La Princesse de Babylone.*

Les aventures de Candide entraînent le lecteur de Westphalie, où les Bulgares ont mis à sac le château du baron de Thunder-ten-tronckh, à Lisbonne, qui vient d'être ravagée par un tremblement de terre. Elles se poursuivent à travers l'Amérique du Sud, de Buenos Aires à Surinam en passant par le Paraguay et le mythique Eldorado. Elles ne s'achèvent ni à Paris, ni à Venise, mais à Constantinople. C'est là que tous les personnages : Candide, « un jeune garçon à qui la nature avait donné les mœurs les plus douces » ; Cunégonde, qu'il aime tendrement, mais que rien, dans la douce éducation qu'elle avait reçue au château de son père, ne prédestinait aux infortunes qu'elle devait subir ; le philosophe Pangloss, qui s'obstine, en dépit des revers, à considérer que « tout est pour le mieux dans le meilleur des mondes possibles » ; le frère de Cunégonde, laissé pour mort à deux reprises ; une vieille femme, dont les épreuves n'avaient pas été moindres que celles de Cunégonde ; le fidèle valet de Candide, Cacambo ; et Martin, et Pâquette, et le frère Giroflée... se rejoignent.

Tous, au gré de leurs pérégrinations, tour à tour victimes de fatalités pernicieuses et miraculeusement secourus par une Providence toujours bienveillante, se sont perdus et retrouvés par le fait de coïncidences qui ne manquent jamais de leur faire verser des torrents de larmes. Tous les fléaux de l'intolérance humaine se sont abattus sur eux : viols, guerres, tortures, condamnations, servitude, fanatisme. Et ce ne sont pas que les hommes qui s'acharnent, mais la nature elle-même qui, par ses tempêtes et ses séismes, les jette sans cesse dans de nouveaux périls sans jamais altérer leur bonne humeur et leur optimisme.

● **Un voyage philosophique** : à la manière de Rabelais ou de Swift *(les Voyages de Gulliver,* 1726). L'action frénétique dans laquelle sont lancés des personnages pétris de bons sentiments n'a d'autre but que de défendre deux idées :

— **la haine de l'injustice** qui triomphe partout : oppression des soldats bulgares ; tyrannie de l'Inquisition ; hypocrisie des Jésuites ; veulerie et cupidité des hommes qui ne cherchent qu'à spolier ou à asservir ;

— **une pitié généreuse** pour les souffrances imméritées : on reconnaît Voltaire défenseur des victimes de l'intolérance, s'apitoyant sur la condition de l'homme accablé non seulement par les fléaux naturels, mais par l'homme lui-même, fléau encore pire.

● **La satire** : la conclusion paraît pourtant réconfortante : tout va bien, puisque tout pourrait aller plus mal. Et « tous les événements sont enchaînés dans le meilleur des mondes possibles » si une succession de malheurs a pour conséquence un état de bonheur. Mais il s'agit en réalité d'une satire pessimiste du philosophe allemand Leibniz (1646-1716) qui prétendait paradoxalement que « tout est pour le mieux dans le meilleur des mondes possibles » quand l'observation des malheurs des hommes témoigne du contraire.

● **La morale** : ce bonheur qui semble régner en l'utopie d'Eldorado, ce bonheur que les rêves de puissance des rois ne créent pas, il est à portée de notre main : « Il faut cultiver notre jardin. » Écartant les risques des entreprises, suscitant la solidarité, cette morale incite l'homme moyen à se défier des providences trompeuses et à chercher la sagesse au-dedans de lui-même. C'est le roman d'éducation d'un aventurier ingénu.

Cinéma : Norbert Carbonneaux, *Candide ou l'optimisme au XXe siècle* (1960).

B. BONS ET MAUVAIS SENTIMENTS

La littérature du sentiment se développe au XVIIIe siècle.
Malgré l'importance que la Raison tient encore dans la
philosophie de cette époque, malgré l'essor que prennent les
sciences, malgré le goût que la haute société a pour les
distractions futiles, les émotions du cœur deviennent peu à peu
le sujet des romans ou des comédies. La sensibilité prend le pas
sur le raisonnement jusqu'à se changer même en une sensiblerie
complaisante.

Cinq œuvres jalonnent une époque particulièrement propice
aux épanchements du cœur. Le but du romancier n'y est pas
d'exposer des théories sur les passions, mais d'intéresser le
lecteur aux troubles et aux enivrements de ses héros.

Le réalisme de Marivaux, qui, dans **la Vie de Marianne**
(cf. p. 36), peint des scènes populaires et truculentes, ne
l'affranchit pas d'une profondeur dans l'analyse de la passion
que seule la Religieuse portugaise (cf. p. 24) avait atteinte et
même dépassée.

L'habile fusion de la perversion et de l'amour sincère chez
Manon Lescaut (cf. p. 38), la description des tripots et des prisons, l'enfer des machinations et des vices, préparent l'apothéose du Mal qui procure un moment au demi-monde huppé
et purulent des **Liaisons dangereuses** (cf. p. 46) une volupté
douteuse.

Dans la Nouvelle Héloïse (cf. p. 40), Julie ne connaît ni les
remords excessifs, ni les tourments d'une passion coupable : elle
s'élève au-dessus des sentiments ordinaires. Rousseau prépare
Bernardin de Saint-Pierre : l'idylle qui clôt ce courant
sentimental est celle de deux enfants, **Paul et Virginie**
(cf. p. 44), pour lesquels l'innocence de l'amour est le plus sûr
garant de sa pureté.

Au cours de cette période, à son insu, le Romantisme est né.
Désormais, comme le disait Vauvenargues dans ses **Maximes,**
« les grandes pensées viennent du cœur ».

Ce mouvement a été sinon déclenché, du moins précipité par
l'influence d'un romancier anglais, Samuel Richardson. Dans
trois *romans-fleuves,* il avait fait triompher un sentimentalisme
édifiant pour lequel, à l'heure où naît le cosmopolitisme, la

France s'était enthousiasmée. Et ces romans, **Pamela ou la vertu récompensée** (1741), **Clarisse Harlowe** (1747) et l'**Histoire de Charles Grandisson** (1753), avaient précisément été traduits par l'abbé Prévost.

Leur action se situe dans la *middle class* (classe moyenne), d'où la peinture d'un monde humble, mais soumis à une morale puritaine : renoncement chrétien à la vie et au bonheur, exaltation du sacrifice, idéalisme du chagrin. Dans **Pamela,** Lovelace, séducteur pervers, et Pamela, moins naïve qu'elle ne le paraît, serviront de modèles à bien des couples de romans : on reconnaît déjà Des Grieux et Manon Lescaut.

A la peinture vraie de la passion, qui atteint son apogée avec Rousseau, se substitue après l'abbé Prévost une inclination pour l'immoralité et la licence. Deux directions ont été prises : celle de Bernardin de Saint-Pierre qui exalte les bons sentiments et celle de Laclos ou du Marquis de Sade qui glorifient la perversité.

La peinture qu'il a donnée de la débauche a rendu si célèbre le Marquis de Sade (1740-1814) que de son nom dérive le «sadisme», plaisir malsain à faire souffrir autrui, qui constitue la principale et cruelle inspiration de ses ouvrages.

Un autre écrivain mérite une mention particulière. Il s'agit de Restif de la Bretonne (1734-1806) qui s'est plu à décrire la vie rustique et la condition du petit peuple de Paris (1775, **le Paysan perverti ou les Dangers de la ville**).

10. La vie de Marianne[1], 1731-1741

MARIVAUX

Marivaux (1688-1763) aura certes survécu grâce à son théâtre plus qu'à ses romans, parfois inachevés, ou à ses recueils de récits. Ruiné par la banqueroute de Law, familier des salons (Mme du Deffand, Mme de Tencin) autant que des acteurs de la Comédie-Française, Marivaux n'a pas d'histoire, sinon celle d'un homme qui n'a guère été heureux.

1712, *Pharsamon ou les Folies romanesques.*
1714, *La voiture embourbée.*
1720, *Cinq lettres contenant une aventure.*

1731-1741, *La vie de Marianne.*
1736, *Le paysan parvenu*

Un manuscrit trouvé à la campagne relate la vie de Marianne : c'est elle-même qui la raconte pour l'une de ses amies. Remontant le cours du temps, Marianne cherche à percer le mystère de sa naissance. Elle ne se souvient que du curé qui la recueillit et l'éleva jusqu'à l'âge de quinze ans. La sœur de son tuteur l'emmène avec elle à Paris, mais elle meurt subitement, abandonnant Marianne à elle-même. Un religieux rencontré par hasard la présente alors à M. de Climal, homme d'une cinquantaine d'années qui la place chez une lingère et lui manifeste un intérêt sans équivoque.

Un jour, à l'église, Marianne aperçoit un jeune homme qui provoque chez elle « un mélange de trouble, de plaisir et de peur » (p. 126). Renversée par la voiture de l'inconnu, elle est transportée chez lui. Il se nomme Valville. L'amour naît aussitôt. Cependant, M. de Climal presse Marianne de lui céder. Valville, qui se révèle être son neveu, le surprend aux genoux de Marianne qui, affolée, se réfugie dans un couvent. Elle y reçoit bientôt la visite d'une dame qui se pose en bienfaitrice, Mme de Miran : en réalité, la mère de Valville. La condition d'orpheline

1. *Romans* de Marivaux, la Pléiade (p. 79-564).

de Marianne constitue un obstacle au mariage des jeunes gens. Pour soustraire définitivement Marianne à Valville, la famille de Mme de Miran la fait enlever. Il n'en était nul besoin : l'amoureux volage s'éprend bientôt d'une autre, Mlle Varthon, tandis que Marianne cherche des raisons de se rassurer : « Son cœur n'est pas usé pour moi, il n'est seulement qu'un peu rassasié du plaisir de m'aimer, pour en avoir trop pris d'abord » (p. 387). Désemparée, elle songe à se faire religieuse[2].

● **Le pittoresque :** Marivaux dépeint à l'aide de scènes plaisantes (l'altercation entre la Dutour et un cocher, p. 151) le peuple de Paris : « Ce sont des émotions d'âme que ce peuple demande ; les plus fortes sont les meilleures : il cherche à vous plaindre si on vous outrage, à s'attendrir pour vous si on vous blesse, à frémir pour votre vie si on la menace...» (p. 152).

● **Les sentiments :** l'analyse minutieuse du cœur humain y revêt des aspects dramatiques qui n'étonneront pas chez Marivaux, homme de théâtre. La scène de l'aveu entre Mlle Varthon et Marianne (p. 380-385) a les qualités d'un dialogue au cours duquel l'évidence d'un quiproquo se fait progressivement jour. Chaque partie du roman est conçue comme un acte.

● **Le réalisme :** comme dans *Manon Lescaut*, qui lui est contemporain, on trouve un mélange incessant de réalisme et de romanesque ; de plus en plus le romancier cherche à intégrer les situations qu'il crée et les héros qu'il invente dans un cadre authentique. Il veut rendre ses personnages vraisemblables.

● **L'originalité :** Marivaux écrit le roman de l'infortune, crée un personnage d'orpheline, de bâtarde, qui réapparaîtra dans les romans de Hugo, de Dumas, d'Eugène Sue, et qui resurgira au XXe siècle avec les héros existentiels de Sartre et de Camus[3]. Même si on ne lit plus guère *la Vie de Marianne*, qu'une boutade d'André Gide plaçait parmi les dix romans qu'il eût emportés dans une île déserte, l'œuvre de Marivaux, tout inachevée et inégale qu'elle soit, n'en est pas moins profondément originale

---

2. Marivaux renonce à terminer son roman. Une douzième partie parut en 1745. Elle n'était pas de lui.
3. Cf. p. 120 (L'homme en quête de son existence).

11. Manon Lescaut, 1731

ABBÉ PRÉVOST

Tour à tour novice chez les Jésuites, soldat, Bénédictin par dépit amoureux, fugitif en Angleterre et en Hollande, c'est finalement comme aumônier du Prince de Conti, chargé d'écrire une histoire des Condé, que l'abbé Prévost (1697-1763) achève sur une crise d'apoplexie une vie aussi tourmentée que celle de ses héros .

1728, *Mémoires d'un homme de qualité* dont *l'Histoire de Manon Lescaut et du chevalier des Grieux* constitue le septième des huit volumes.
1732-1739, *Cleveland.*
1735, *Le Doyen de Killerine.*

Le narrateur — « l'homme de qualité » — se contente de rapporter mot pour mot une histoire qui lui a été racontée par un jeune aventurier rencontré dans une hôtellerie de Passy. Le récit est composé de deux parties qui relatent comment les imprudences de Manon la conduisirent, ainsi que son amant Des Grieux, en prison.

Le chevalier des Grieux a dix-sept ans lorsqu'il rencontre à Amiens une jeune fille qui l'enflamme « tout d'un coup jusqu'au transport ». S'étant enfui avec elle pour Paris, il ne tarde pas à s'apercevoir que Manon lui est infidèle : « Terrible changement ! Ce qui fait mon désespoir a pu faire ma félicité. » Il forme alors le projet d'entrer dans l'état ecclésiastique pour y mener une vie paisible et solitaire. Mais Manon le retrouve, se repent et reconquiert son cœur. Le besoin d'argent se faisant rapidement sentir, Des Grieux a recours au frère de Manon, M. Lescaut, qui suggère cyniquement : « Une fille comme elle devrait nous entretenir, vous, elle et moi. » Les conseils et l'aide de son ami Tiberge ne tirent pas Des Grieux d'affaire et Manon, incitée par Lescaut, soustrait à un vieil amant de l'argent et des bijoux. Le soir même, elle est arrêtée ainsi que Des Grieux. Mais Lescaut fait évader le jeune homme qui entreprend aussitôt de secourir Manon. La voici libre à son tour : au cours de la fuite, Lescaut est tué.

Cependant la partie la plus funeste de l'histoire ne fait que commencer. Après avoir donné à Des Grieux des preuves parfois excessives de son amour, Manon éprouve vite la nostalgie du luxe et retrouve son protecteur. Mais, par duplicité, et pour montrer à Des Grieux que c'est lui qu'elle aime, elle joue au vieil homme un tour qu'il ne lui pardonne pas. A nouveau arrêtée pour mœurs dissolues, Manon est déportée en Louisiane avec les filles de mauvaise vie. Des Grieux l'accompagne à La Nouvelle-Orléans où le destin s'acharne contre eux. Le neveu du gouverneur tombe amoureux de Manon ; Des Grieux le provoque en duel et le tue ; il faut fuir à travers une campagne hostile. Manon meurt d'épuisement : « Je la perdis. Je reçus d'elle des marques d'amour au moment même qu'elle expirait. » Des Grieux, que son ami Tiberge est venu chercher en Amérique, rentre en France.

● **D'infortunés amants :** l'histoire de Manon Lescaut et du chevalier des Grieux jette un couple de héros dans des aventures sentimentales où ils sont victimes à la fois des autres et d'eux-mêmes. La passion de Des Grieux pour Manon la précipite dans la déchéance. Inconséquente et désinvolte, Manon aime Des Grieux, mais ne sait pas résister aux attraits qu'exercent pour elle la société et l'argent.

● **Peinture des milieux :** comme chez Marivaux, nous traversons des milieux disparates, des tripots que fréquente Lescaut aux salons dans lesquels une société répressive, qui emprisonne et déporte au nom de la morale, fait triompher le pouvoir de l'argent.

● **Une œuvre ambiguë :** elle offre « un mélange de vertus et de vices, un contraste perpétuel de bons sentiments et d'actions mauvaises », comme l'indique l'abbé Prévost dans son Avis.

La mort de Manon Lescaut, dans cette contrée lointaine où, 70 ans plus tard, Chateaubriand fera mourir Atala, donne de la grandeur au roman. Elle transporte les deux amants dans un univers où ils échappent à la société qui les a contaminés : ils y retrouvent leur amour intact.

Opéra :   Jules Massenet, *Manon* (1884). Giacomo Puccini, *Manon Lescaut* (1893).

Cinéma :   H.-G. Clouzot, *Manon* (1949). Jean Delannoy, *Histoire de Manon Lescaut et du chevalier des Grieux* (1961). Jean Aurel, *Manon 70* (1968).

12. La Nouvelle Héloïse, 1761

JEAN-JACQUES ROUSSEAU

Fils d'un horloger, Jean-Jacques Rousseau (1712-1778) est né a Genève. D'aventure en aventure, il est recueilli en 1731 à Annecy par Mme de Warens. Désemparé par la fin de leur liaison, Rousseau tente sa chance à Paris et y devient vite célèbre (1752). Compromis par ses idées jugées subversives, exilé de Genève, attaqué de toutes parts, il s'abandonne au délire de la persécution et achève à Ermenonville une existence tourmentée et douloureuse.

1761, *Julie ou la Nouvelle Héloïse.*
1762, *Du Contrat social.*
1762, *L'Émile ou de l'Éducation.*

1781-1788, *Rêveries d'un promeneur solitaire / les Confessions.*

Les 163 lettres et quelques billets qui constituent les six parties du récit sont pour la plupart échangés par Julie d'Étange et son précepteur Saint-Preux qui se sont aimés dès le premier jour où ils se sont vus. D'autres correspondances, celles de M. de Wolmar, qui épouse Julie ; de Mme d'Orbe ; de Claire, sa meilleure amie ; et de mylord Édouard, ami et confident, contribuent à la trame de ce roman épistolaire.

La première lettre de Saint-Preux à Julie est une lettre de rupture, l'aveu d'un précepteur tombé amoureux de son élève et indigne d'elle. Mais cet amour s'avère partagé ; pour s'en garantir, Julie appelle auprès d'elle sa cousine Claire qui sera sa confidente : « Je suis trop contente de lui pour l'être de moi : à son âge et au nôtre, avec l'homme le plus vertueux, quand il est aimable, il vaut mieux être deux filles qu'une » (I, vi). Contre son gré, effrayée par les progrès de la passion, elle exile Saint-Preux qui lui obéit. Tantôt rasséréné par la contemplation de la nature et tantôt plongé dans des accès de désespoir, le jeune homme reçoit l'écho des chagrins de Julie qui tombe malade. Profitant d'une absence de ses parents, Julie succombe à la tentation, rappelle Saint-Preux, le revoit ; mais la rumeur publique dénonce ces relations scandaleuses aux parents de Julie. A nouveau séparés, les amants sont comme des naufragés qui cherchent à se rejoindre. Ils passent par les effusions, les reproches nourris de chimères, les abattements suivis de regains de confiance, sans que jamais leur amour ne faiblisse : « C'est l'union des cœurs qui fait leur véritable félicité ; leur attraction ne connaît point la loi des distances, et les nôtres se toucheraient aux deux bouts du monde » (II, xv).

Un événement modifie cette situation : la mère de Julie, ébranlée par cette passion que l'homme et la raison condamnent (III, i), meurt : « Elle n'est plus. Mes yeux ont vu fermer les siens pour jamais...» (III, v), écrit Julie à Saint-Preux en lui signifiant désormais de mettre un terme à leurs relations : « Que mes yeux ne vous voient plus... » (III, v). Julie se décide à épouser un homme beaucoup plus âgé qu'elle, M. de Wolmar et lui demande de faire venir Saint-Preux : « La plus sage et la plus chérie des femmes vient d'ouvrir son cœur à son heureux époux. Il vous croit digne d'avoir été aimé d'elle, et il vous offre sa maison » (IV, iv). Six années de complicité troublante passent : « Mes enfants (dit M. de Wolmar), je commence à voir... que nous pouvons être unis tous trois d'un attachement durable, propre à faire notre bonheur » (IV, xii). Julie, dont l'amour pour Saint-Preux est loin de s'être affaibli, se défie d'elle-même ; Saint-Preux lui-même souffre plus du contact quotidien que de l'absence de naguère : « ... la voir, la toucher, lui parler, l'aimer, l'adorer, et, presque en la possédant encore, la sentir perdue à jamais pour moi ; voilà ce qui me jetait dans des accès de fureur et de rage qui m'agitèrent par degrés jusqu'au désespoir » (IV, xvii).

Le calme des jours qui s'écoulent à Clarens est trompeur comme la surface des grands lacs : les tempêtes du cœur couvent. Saint-Preux part pour Rome. Durant cette nouvelle séparation, Julie mesure l'élévation de leur amour : « On étouffe de grandes passions, rarement on les épure... mais, après avoir été ce que nous fûmes, être ce que nous sommes aujourd'hui, voilà le vrai triomphe de la vertu » (VI, vi). Elle propose alors à Saint-Preux de devenir le précepteur de ses enfants et de créer ainsi un lien sacré. La réponse de Saint-Preux montre moins de résignation : « Nous avons beau n'être plus les mêmes, je ne puis oublier ce que nous avons été » (VI, vii). C'est à ce moment que les présages de la lettre IV, xvii (la promenade en barque), se réalisent : Julie se noie accidentellement. M. de

Wolmar relate dramatiquement les derniers instants de Julie dans une lettre à Saint-Preux qu'il rappelle auprès de lui. Les ultimes confidences de Julie dans un message posthume, alors qu'elle attendait encore le retour de Saint-Preux, sont un cri d'amour tragiquement prophétique : « Je meurs dans cette douce attente : trop heureuse d'acheter au prix de ma vie le droit de t'aimer toujours sans crime, et de te le dire encore une fois ! » (VI, xii).

● **Une unité d'action** : l'amour qui unit Julie et Saint-Preux constitue l'objet unique de toutes les lettres. Si tous les sujets chers à Rousseau sont abordés (musique, théâtre, éducation, politique), c'est qu'ils sont suscités par des échanges passionnés qui impliquent une communication totale entre les êtres.

● **Les sentiments généreux** : Rousseau condamne les auteurs qui se complaisent à décrire la noirceur et le crime. L'amour et la vertu qui règnent chez tous les personnages leur inspirent de prompts pardons qui effacent toutes les offenses. L'indulgence de M. de Wolmar relève moins de l'aveuglement que de la miséricorde. L'aveu de la Princesse tue M. de Clèves (cf. p. 26) ; l'aveu de Julie la rend sublime aux yeux de M. de Wolmar.

● **L'amour** : c'est dire la place qu'il tient dans cette profession de foi ; sa liberté est compromise par le veto de la morale : M. d'Étange considère Saint-Preux comme un suborneur qui a corrompu le cœur de sa fille. Mais il lui pardonne (V, vii). Tout le roman est placé sous le signe de la réconciliation. L'idée que Julie se fait de l'honnêteté conjugale s'accommode fort bien de l'amour qu'elle éprouve pour Saint-Preux : « L'amour sensuel ne peut se passer de la possession, et s'éteint avec elle. Le véritable amour ne peut se passer du cœur, et dure autant que les rapports qui l'ont fait naître » (III, xviii). Au niveau du cœur, il n'y a plus d'infidélité.

● **Le sentiment de la nature** : il contribue à cette vision tantôt lénifiante, tantôt sublime, des choses : lyrisme des sites alpestres, promenades romantiques sur l'eau (IV, xvii), vie à la valaisane dans cet Eldorado sur terre qu'est le domaine de Clarens.

Au milieu de ce XVIIIᵉ siècle si préoccupé de l'idée de bonheur,

Rousseau en donne sa propre définition par l'action romanesque : Clarens est un lieu chimérique où l'on peut « se voir, s'aimer, le sentir, s'en féliciter, passer les jours ensemble dans la familiarité fraternelle et dans la paix de l'innocence, s'occuper l'un de l'autre, y penser sans remords, en parler sans rougir, et s'honorer à ses propres yeux du même attachement qu'on s'est si longtemps reproché... » (VI, vi).

● **L'influence** : elle se manifeste moins sur l'avenir du roman que sur les mœurs contemporaines. L'enthousiasme pour la simplicité et l'amour de la vie rustique n'étaient pas une nouveauté en 1761. Mais ce que Jean-Jacques Rousseau a suscité, c'est le goût d'une nature plus libre, celle que l'on découvre dans la montagne ou dans ces jardins anglais moins réguliers que nos jardins à la française. Le Romantisme développera ce besoin de lieux sauvages et de sites grandioses. Avant Rousseau, la nature tient peu de place dans les romans. Après lui, elle devient le cadre des grands mouvements de l'âme. Dans un autre roman par lettres, *Oberman* (1804) de Senancour (1770-1846), pendant du *René* de Chateaubriand (cf. p. 55), la montagne est un sujet permanent de réflexions et de sentiments.

● **L'engouement** : le «Gens sensibles, qu'eussiez-vous fait à ma place ? » de M. de Wolmar (VI, xi) absout tout. Parce qu'il s'adressait aux « gens sensibles », ce roman-fleuve connut un succès qui n'avait auparavant, dans un genre aussi décrié que l'était le roman, couronné que *la Princesse de Clèves* ou *Manon Lescaut*. Laclos, Chateaubriand, Stendhal, Balzac, George Sand s'exalteront pour cette « nouvelle Héloïse » aussi constante dans l'amour que celle qui entretint au XIIe siècle une correspondance non moins passionnée avec Abélard[1].

---

1. *Les lettres de deux amants,* publiées par Bussy-Rabutin en 1687.

13. Paul et Virginie[1], 1787

BERNARDIN DE SAINT-PIERRE

Né au Havre, Henri Bernardin de Saint-Pierre (1737-1814) a cherché dans les voyages — nécessité professionnelle (capitaine ingénieur du roi) ou caprice ? — ces « horizons chimériques » que son imagination lui suggérait : Martinique, Europe, île de France[2]. Se croyant victime de la société, comme son ami Rousseau, il se délecte du spectacle de la nature et d'une vision de l'âge d'or, qu'il décrira dans *l'Arcadie* (1788).

1773, *Voyage à l'île de France.*   **1787**, *Paul et Virginie.*
1784, *Études de la nature.*   **1815**, *Harmonies de la nature.*

Bien que dénigrées souvent pour leur sensiblerie, ces 150 pages, qui tiennent plus du conte que du roman, n'ont pas perdu leur pouvoir d'émotion. C'est l'éveil de deux cœurs qui ne se sont jamais quittés depuis qu'ils ont commencé de battre. Élevés ensemble dans l'île de France, Paul et Virginie ont grandi côte à côte, honnêtes et généreux, au sein d'une nature idyllique dont le spectacle quotidien avait entretenu dans l'innocence leur enfance et leur adolescence. La nature les avait réunis pour toujours, le destin les sépare à jamais : Virginie doit recevoir en Europe l'éducation rigoureuse d'une tante revêche. Comme elle est malheureuse ! Et comme Paul pleure ! L'épreuve de la séparation semble prendre fin quand apparaît au large le Saint-Géran qui ramène Virginie à Paul. Mais la tempête s'élève, le navire fait naufrage ; Virginie, par pudeur, refuse l'aide d'un matelot, et périt dans les flots. Comment Paul survivrait-il ? Ils reposent au pied des mêmes roseaux, Tristan et Iseut des Tropiques.

1. Classiques Garnier.
2. Aujourd'hui île Maurice ou Mauritius. Découverte en 1507, elle devint possession des Français en 1715. Cédée à l'Angleterre en 1814, elle n'acquit son indépendance qu'en 1966.

● **L'influence des romans pastoraux :** celles de *Daphnis et Chloé,* de Longus, et de *l'Astrée,* de d'Urfé, se font sentir dans *Paul et Virginie.* Mais les lectures de Paul sont significatives. Il aime les romans « qui, s'occupant davantage des sentiments et des intérêts des hommes, lui offraient quelquefois des situations pareilles à la sienne. Aussi aucun livre ne lui fit autant de plaisir que le *Télémaque*, par ses tableaux de la vie champêtre et des passions naturelles au cœur humain » (p. 159).

● **La vie champêtre :** elle transporte le lecteur dans un pays lointain. Ce sont de prodigieuses esquisses de la forêt, de l'océan, du ciel. L'exotisme s'y présente sous forme de descriptions précises : « Diverses espèces d'aloès, la raquette chargée de fleurs jaunes fouettées de rouge, les cierges épineux, s'élevaient sur les têtes noires des roches...» (p. 109-110). Ce tableau se complète par celui de la vie des planteurs et des esclaves, et des coutumes des indigènes.

● **Les passions naturelles au cœur humain :** elles y sont représentées dans un but moral ; en réaction au vice qui s'était étalé dans les romans contemporains, Bernardin fait l'éloge de la vertu et transpose l'idéal rousseauiste dans un Clarens tropical où le sentiment participe d'un amour universel : « Quelque chose de toi que je ne puis dire reste pour moi dans l'air où tu passes, sur l'herbe où tu t'assieds. » Le bonheur, c'est la nature (p. 129).

● **Un but social :** c'est un nouvel Eldorado que cette île où il y avait « tant de bonne foi et de simplicité... que les portes de beaucoup de maisons ne fermaient point à clef et qu'une serrure était un objet de curiosité pour beaucoup de Créoles » (p. 127). Le thème de Robinson y rejoint celui des utopies : Bernardin rêve d'une vie sociale régénérée par la nature, d'une société en miniature où le bonheur existe[3].

● **La poésie :** les innombrables amours indigènes du XIXᵉ siè-cle, *Indiana* de George Sand (1831), ou *le Mariage de Loti* de Pierre Loti (1882), n'auront plus jamais le charme de ce cro-quis à demi noyé dans l'irréel.

3. Ce thème sera repris par Jules Verne dans *Deux ans de vacances* (1888).

14. Les Liaisons dangereuses, 1782

CHODERLOS DE LACLOS

Pierre Choderlos de Laclos (1741-1803) ne se distingue dans sa vie et dans ses ouvrages que par la production d'un seul chef-d'œuvre. Sa carrière militaire, le double jeu auquel il se livre entre sa fidélité au duc d'Orléans, futur Philippe Égalité, et son jacobinisme[1], ses exils, ses incarcérations, expliquent-ils *les Liaisons dangereuses,* rouages diaboliques assemblés dans le calme de l'île d'Aix par un moraliste qui dénonce les vices en les peignant ?

> **1782,** *Lettres recueillies dans une société et publiées pour l'instruction de quelques autres.*

On suit au cours de ces 175 lettres le cours de trois histoires étroitement imbriquées l'une dans l'autre : la vengeance de Mme de Merteuil sur Gercourt, son ancien amant qui l'a abandonnée dans l'intention d'épouser Cécile Volanges, innocente victime de la machination ; les manœuvres du vicomte de Valmont pour séduire l'austère et prude présidente de Tourvel ; l'amour qui naît entre Cécile Volanges et le chevalier Danceny. Deux âmes damnées, Mme de Merteuil et le vicomte de Valmont, qui alimentent leur complicité des reliefs d'une liaison ancienne, règnent sur un réseau d'intrigues que les lettres propagent, et d'équivoques que crée ce moyen de communication entre les personnages.

« Il m'est venu une excellente idée, et je veux bien vous en confier l'exécution », écrit Mme de Merteuil à Valmont. Il s'agit de perdre Cécile Volanges. Valmont, occupé par la conquête de Mme de Tourvel, décline « cette mission d'amour » : en outre, la proie lui paraît trop facile. C'est alors que Mme de Merteuil songe à son nouvel amant, le chevalier Danceny, et favorise le penchant qu'il éprouve pour Cécile. Les deux jeunes gens s'avouent leur amour au moment même où Mme de Tourvel, sur les conseils de Mme de Volanges, éloigne Valmont, dont elle ne fait qu'exciter le désir : « Ah ! qu'elle se rende, mais qu'elle

---

1. Doctrine démocratique professée sous la Révolution.

combatte » (Lettre 23). A peine Cécile commence-t-elle à s'alarmer du retour du comte de Gercourt, qui est en Corse, et de son mariage qu'elle refuse, que sa mère découvre les lettres de Danceny. A qui les amoureux vont-ils désormais confier leurs messages clandestins ? A Valmont ! Celui-ci fait croire à Cécile que Danceny ne l'aime plus. Mais rencontrant Danceny chez Mme de Merteuil, il en éprouve de la jalousie et blesse l'amour-propre de son ancienne maîtresse. Pour se venger, Mme de Merteuil instruit Danceny de la duplicité de Valmont. Danceny provoque Valmont en duel et le tue. Mme de Tourvel ne survit pas à ses remords. Cécile entre au couvent. Danceny divulgue les lettres de Mme de Merteuil que Valmont lui avait remises, et s'engage dans l'ordre de Malte. Mme de Merteuil s'exile, atteinte de la petite vérole : « En vérité, ce serait, je crois, un bonheur pour elle d'en mourir », conclut Mme de Volanges (Lettre 173). Le vice est châtié.

● **Le mal pour le mal :** se venger de Gercourt n'est qu'un prétexte. Mme de Merteuil veut pervertir Cécile. Elle s'explique sur elle-même dans la lettre 81. Une marquise, un vicomte, un comte, une présidente, un chevalier : condamnation d'une classe, l'aristocratie, marquée au coin de la débauche et que la Révolution allait dénoncer ?

● **La psychologie :** elle est d'une grande richesse et s'étend jusqu'aux personnages secondaires. Il faudrait analyser l'âme de chacun. Pris dans les filets de Mme de Merteuil, aucun n'est libre. La nostalgie de *la Nouvelle Héloïse* plane sur « cette pourriture sentimentale » où l'amour s'ensevelit.

● **La composition :** la maîtrise et l'alternance des lettres y sont aussi *machiavéliques* que l'action : autant de versions des mêmes faits (Lettres 6, 9 et 11) ; la révélation d'un stratagème en suit souvent les effets (Lettre 63).

● **L'originalité :** l'exploration du Mal, la volonté de détruire les âmes, apparaissent comme un moteur romanesque puissant. Le roman n'idéalise plus, il transcende la corruption.

Cinéma : Roger Vadim, *les Liaisons dangereuses 1960* (1959)
Théâtre : Adaptation dramatique de Claude Prey, 1980.

C. LE DERNIER PICARO

Le siècle avait commencé avec Télémaque, dérivant sur les mers accompagné de Mentor ; il s'achève avec Jacques le Fataliste, errant avec son maître. Pangloss dispensait un optimisme inébranlable : Jacques professe le fatalisme. Diderot donne sa dernière incarnation à ce type d'aventurier popularisé dans les romans espagnols du XVIe siècle (cf. p. 21 : le *picaro*).

Renouant avec cette tradition, qui avait inspiré à Scarron deux nouvelles du **Roman comique**, Lesage (1668-1747) avait, au début du XVIIIe siècle, situé ses romans au pays du Cid. Dans **le Diable boiteux** (1707), le démon Asmodée transporte Cléofas au-dessus de Madrid et soulève les toits des maisons pour révéler la vie qui s'y déroule. **Gil Blas de Santillane** (1715-1735) décrit les aventures d'un *picaro* moderne qui, opportuniste d'une société médiocre, se laisse mener par les circonstances.

Les aventures de Jacques semblent naître des hasards de la grand-route : dans un monde qui rêve d'amour et d'idéal, c'est par le cri d'un homme qui n'est pas sûr de manger tous les jours à sa faim, qui loge à la belle étoile, indifférent ou narquois, parfois blasé, toujours soumis aux caprices du destin, que le XVIIIe siècle boucle son odyssée romanesque.

C'est pourtant dans **Jacques le Fataliste** qu'on lit : « Il vient un moment où presque toutes les jeunes filles et les jeunes garçons tombent dans la mélancolie ; ils sont tourmentés d'une inquiétude vague qui se promène sur tout, et qui ne trouve rien qui la calme. Ils cherchent la solitude ; ils pleurent... » (p. 206). Cette « inquiétude vague » qui n'ose pas dire son nom nourrira les romans de demain.

15. Jacques le Fataliste[1], 1773

DENIS DIDEROT

Curieuse personnalité que celle de Diderot (1713-1784), un peu débraillée et primesautière comme son œuvre. Il connut la misère, la prison à Vincennes, avant d'entreprendre l'*Encyclopédie* (1749-1772). Outre ses romans, Diderot a écrit des ouvrages de philosophie, de critique d'art et de théâtre.

1748, *Les Bijoux indiscrets.*
1760-1796, *La Religieuse*

1761-1821, *Le Neveu de Rameau.*
1773, *Jacques le Fataliste* (publié en 1796).

L'absence apparente de composition rend le résumé difficile car plusieurs récits sont enchevêtrés les uns dans les autres, abandonnés et repris, mêlés si intimement aux réflexions de l'auteur, qu'il semble que celui-ci ait justement voulu défier la logique de son lecteur et le perdre à loisir dans les méandres de son histoire.

Jacques et son maître cheminent au hasard : « D'où venaient-ils ? Du lieu le plus prochain. Où allaient-ils ? Est-ce que l'on sait où l'on va ? Que disaient-ils ? Le maître ne disait rien... » (p. 25), et Jacques essaie vainement de raconter ses amours. Jusqu'à la fin, il ne parvient pas au terme de son récit : blessé à la bataille de Fontenoy, il est recueilli dans une chaumière et opéré par un chirurgien qui l'héberge chez lui ; attaqué par des voleurs, il est emmené dans un carrosse vers le château de M. Desglands où il rencontre Denise, « une des plus honnêtes créatures qu'il y ait à vingt lieues à la ronde » (p. 190). Au récit de ces aventures que Jacques conte, le long du chemin, cent fois interrompu par les péripéties du voyage et les digressions de l'auteur, succède celui des aventures de son maître.

Le voyage lui-même, pendant lequel devisent Jacques et son

---

1. Garnier-Flammarion.

maître, est ponctué par différentes étapes : haltes dans des auberges, un château, ou même simplement « quelque part ». Chaque étape est marquée par quelque mésaventure, quelque rencontre insolite.

Un certain nombre de récits sont introduits comme au hasard : le plus important est celui de Mme de la Pommeraye et de M. des Arcis que narre une Hôtesse, sorte de *nouvelle* indépendante sertie dans le corps du récit : pour se venger de l'infidélité du marquis des Arcis, Mme de la Pommeraye lui fait épouser une fille entretenue qu'il prend pour une dévote ; la vérité éclate le lendemain du mariage.

● **La technique :** cette matière si diverse, tantôt narrative, tantôt théâtrale, est coupée par les commentaires que l'auteur, Diderot, fait sur ce qu'il vient d'écrire et adresse au lecteur. De telle sorte que le roman se déroule sur trois plans :
   1. les pérégrinations de Jacques et de son maître ;
   2. les multiples récits qui font l'objet de leurs conversations ;
   3. les interpellations de l'auteur au lecteur.
La prise de position de l'auteur vis-à-vis de son livre, les clins d'œil au lecteur, constituent une grande originalité.

Tantôt Diderot cherche à dérouter les prévisions du lecteur : « Vous allez croire que... » (p. 36-37) ; tantôt il disloque la logique de son roman : « ...et vous vous trompez. C'est ainsi que cela arriverait dans un roman, un peu plus tôt ou un peu plus tard, de cette manière ou autrement ; mais ceci n'est point un roman, je vous l'ai déjà dit, je crois, et je vous le répète encore » (p. 61). Il se méfie des « faiseurs de romans, à moins que ce ne soient ceux de Richardson » (p. 265). Il veut garder toute sa liberté à l'égard de sa propre création : « Il ne tiendrait qu'à moi de donner un coup de fouet aux chevaux... » (p. 84) et maîtrise en même temps le destin de ses héros : « Je sais comment Jacques sera tiré de sa détresse... » (p. 108).

Il se garde bien de vouloir écrire un roman, c'est-à-dire une fiction : « Mon projet est d'être vrai, je l'ai rempli » (p. 265). C'est la vérité qu'il poursuit : « Celui qui prendrait ce que j'écris pour la vérité serait peut-être moins dans l'erreur que celui qui le prendrait pour une fable » (p. 37). Et sur cette vérité, il s'explique : « La vérité a ses côtés piquants, qu'on saisit quand on a du génie : mais quand on en manque ? — Quand on en manque, il ne faut pas écrire » (p. 59).

● **Un anti-roman:** c'est cette quête de la vérité par l'œuvre littéraire qui donne à ce roman, à cet *anti-roman*[2] cet aspect reportage, pris sur le vif : le voyage picaresque ou donquichottesque permet à Diderot de suivre ses personnages plutôt que de les précéder. Le parti pris de ne respecter aucune règle, de ne pas bâtir d'intrigue impeccable, et de transcrire les choses telles qu'elles se produisent, au moment où elles se produisent, faisant de l'auteur en même temps un observateur et du lecteur un témoin, donnent à l'action cette apparence de liberté débridée qu'elle a dans la vie.

● **Le fatalisme :** mais Jacques est un « fataliste », tout comme Candide était un « optimiste », et si tout est écrit *d'avance,* la liberté du romancier rencontre l'obstacle du destin déterminé une fois pour toutes : « C'est qu'il était écrit là-haut qu'aujourd'hui, sur ce chemin, à l'heure qu'il est... » (p. 28). Et « tout ce qui nous arrive de bien et de mal ici-bas est écrit là-haut » (p. 30). « Tout a été écrit à la fois. C'est comme un grand rouleau qu'on déploie petit à petit » (p. 31). La notion de destin rencontre alors cette vérité : « Il serait écrit sur le grand rouleau : « Jacques se cassera le cou tel jour », et Jacques ne se casserait pas le cou ? » (p. 35). De telle sorte « que nous agissons la plupart du temps sans le vouloir » (p. 310), et que : « C'est que, faute de savoir ce qui est écrit là-haut, on ne sait ni ce qu'on veut ni ce qu'on fait, et qu'on suit sa fantaisie qu'on appelle raison, ou sa raison qui n'est souvent qu'une dangereuse fantaisie qui tourne tantôt bien, tantôt mal » (p. 34). Le destin des héros de romans, ne serait-ce pas le romancier ? N'est-il pas celui qui, à son gré, écrit « le grand rouleau » de ses propres personnages ? N'est-ce pas lui qui les fait heureux ou malheureux ?

● **Multiple Diderot :** pour la première fois, en même temps qu'il écrit un «roman», le romancier lève le rideau sur les coulisses, dévoile les mécanismes qui meuvent les ficelles des marionnettes. Jacques, c'est Diderot ; son maître, c'est encore Diderot ; ils sont tour à tour valets l'un de l'autre ; et l'auteur, c'est encore Diderot ; et c'est Diderot encore qui pose les questions que se poserait le lecteur.

Théâtre : Milan Kundera, *Jacques et son maître* (1981).

2. Tout comme André Malraux a écrit des *Antimémoires* et Eugène Ionesco, avec *la Cantatrice chauve,* une « anti-pièce ».

3 Renversement des hiérarchies

Après six siècles d'investigation, le roman entre dans sa phase glorieuse. Il rencontre ses plus grands créateurs au moment où il leur offre les possibilités les plus diverses.

D'abord caractérisé par le Romantisme, le roman va, au cours du XIXe siècle, s'acheminer vers le Réalisme. Cette progression est conforme à l'évolution historique contemporaine : le roman cesse d'être un fruit de l'imagination individuelle ; il se veut le reflet de la société qui l'a produit.

L'analyse subjective de l'homme s'insère plus complètement dans la peinture collective des milieux. Au XIXe siècle, la société devient le sujet même des romans.

Il ne s'agit plus de tracer l'histoire de quelques personnages, mais de rendre l'humanité dans sa pluralité même. Balzac en développe l'idée. Zola s'emploie à donner de cette transformation du réel en fiction une image aussi vraie, aussi scientifique que possible. Ainsi, à l'époque où s'opère le renversement des hiérarchies sociales, au moment où la révolution industrielle changeait la physionomie de la société, quelques grands écrivains font du roman un miroir aussi fidèle que possible, apte à refléter chaque étape de cette métamorphose profonde.

Le rêve de Balzac : « rendre intéressant le drame à trois ou quatre mille personnages que représente notre Société », ne se réalise peut-être pas par l'œuvre d'un romancier unique qui voudrait concurrencer l'état civil. Si le roman s'avère capable de rendre les remous et les rumeurs des cœurs en proie aux crises de la passion, il lui est beaucoup plus difficile d'entrer dans la foule. Il doit la suggérer à l'aide de quelques types représentatifs du plus grand nombre. Mais la pléiade de génies qui se sont succédé a produit un ensemble collectif de romans qui tracent de l'homme du XIXᵉ siècle et de la société dans laquelle il vit un portrait aussi exact, aussi vaste, aussi varié que possible.

C'est la fonction même du romancier qui est mise en cause. S'il a reçu le don d'écrire, n'est-ce pas pour exercer un rôle de témoin et laisser ces archives que sont les romans ?

Chaque roman est un monde en réduction, un microcosme où se remettent à vivre pour chaque lecteur qui l'ouvre pour la première fois des personnages confinés dans des feuillets d'imprimerie. Chacun à son gré y pénètre comme au pays de la Belle au bois dormant et y éveille ces gisants de papier que sont Fabrice del Dongo[1] ou Emma Bovary[2]. Diderot n'avait pas tort quand il posait le problème de la relation auteur-lecteur. Le roman n'est qu'un moyen de communication de l'un à l'autre à travers les siècles. Le roman est le complément de l'Histoire.

---

1. Stendhal, *la Chartreuse de Parme* (cf. p. 67).
2. Flaubert, *Madame de Bovary* (cf. p. 80).

A. LE PRÉROMANTISME

Comme l'influence de Richardson avait été déterminante au début du XVIIIe siècle (cf. p. 34), celle de Goethe le sera après 1776, date à laquelle paraissent en français **les Souffrances du jeune Werther.** Dans ce roman par lettres, le jeune Werther s'éprend de Charlotte qui épouse un autre homme, Albert. On reconnaît la situation de **la Nouvelle Héloïse.** Mais le désir d'aimer, le paroxysme qu'atteint une passion trouble et exclusive, ne s'étaient pas élevés à ce degré chez Rousseau. Désespéré, Werther se suicide d'un coup de pistolet. Goethe avait trouvé, contre son gré, un moyen de contaminer les esprits : Werther devint un exemple et déclencha une vague de suicides.

Si c'est le court roman de Chateaubriand, **René** (1802), (cf. p. 55), qui évoque le mieux ces troubles de la personnalité, les œuvres de Germaine de Staël : **Delphine** (1802), **Corinne** (1807), et surtout le très beau roman de Benjamin Constant, **Adolphe** (1816), analysent ces amours condamnées, ces cœurs qui se désagrègent, ces passions qui rongent. La liaison orageuse qui lia Mme de Staël et Benjamin Constant donna naissance à ce court chef-d'œuvre autobiographique. Après avoir passionnément désiré l'amour d'Ellénore, Adolphe s'en lasse. Les conflits de son cœur font la trame même du roman : Adolphe ne sait quelle part faire à la pitié et au mensonge. Il est également incapable d'aimer et de rompre. Ellénore dénoue par sa mort une situation dont l'horreur n'apparaît à Adolphe que devant le corps inanimé de celle qui ne serait plus jamais l'objet de ses tourments. **Adolphe,** c'est une analyse romancée du « moi » de Benjamin Constant.

16. René[1], 1802

CHATEAUBRIAND

Comme Chateaubriand (1768-1848) le raconte dans *les Mémoires d'outre-tombe*, écrits de 1811 à 1848, son enfance au château de Combourg fut propice à développer chez lui le sens de l'imagination et à entretenir un climat de mélancolie maladive. Un voyage en Amérique (1791-1792) l'incita à dépayser ces sensations d'adolescence.

1801, *Atala.*	**1826**, *Les Natchez* (écrit en
1802, *René* [2].	1797).
1802, *Le Génie du Christia-nisme.*	**1826**, *Les Aventures du dernier Abencérage.*
1805, *Les Martyrs.*	

Parmi les «sauvages» qui peuplaient les rives du Meschacebé, vrai nom du Mississippi, vivait dans la peuplade indienne des Natchez, vers 1725, un vieillard aveugle qui s'appelait Chactas. Un jeune Français, René, «poussé par des passions et des malheurs», s'était exilé en Louisiane. Remontant le fleuve, il s'était installé chez les Natchez. Chactas l'avait adopté. Après que Chactas a raconté ses aventures — et c'est le sujet d'*Atala* —, René évoque à son tour son passé.

Il se dépeint comme un jeune homme mélancolique qui ne trouve «l'aise et le contentement» qu'auprès de sa sœur Amélie. Le souvenir de leurs promenades en forêt réveille un monde de sensations mêlées : «Nous marchions en silence, prêtant l'oreille au sourd mugissement de l'automne, ou au bruit des feuilles séchées que nous traînions tristement sous nos pas» (p. 138). La mort de leur père accroît cet état de langueur. René décide alors de partir pour un long voyage. Quand il rentre

---

1. Livre de Poche.
2. *René* fut d'abord publié dans le *Génie du Christianisme* (IIe partie, livre III, chapitre IX, intitulé « *Du vague des passions* ») avant d'être intégré dans les *Œuvres complètes* (1826, tome XVI) avec *Atala* et *les Aventures du dernier Abencérage*.

chez lui, sa sœur est partie. Il s'abandonne alors à la solitude, à «une foule de sensations fugitives» et de «passions indéterminées» dans lesquelles il se complaît : « L'automne me surprit au milieu de ces incertitudes : j'entrai avec ravissement dans les mois des tempêtes » (p. 151). Il ne connaît plus que les exaltations du désespoir : «... le chant naturel de l'homme est triste, lors même qu'il exprime le bonheur. Notre cœur est un instrument incomplet, une lyre où il manque des cordes, et où nous sommes forcés de rendre les accents de la joie sur le ton consacré aux soupirs» (p. 151-152). Il croit qu'Amélie l'a abandonné et il songe au suicide. Il veut cependant la revoir une dernière fois. Leurs retrouvailles ne sont troublées que par l'état d'Amélie qui s'affaiblit. Par une lettre, elle apprend à son frère qu'elle est résolue à entrer au couvent : « O mon frère, si je m'arrache à vous dans le temps, c'est pour n'être pas séparée de vous dans l'éternité » (p. 160). Ce n'est qu'au moment de prononcer ses vœux qu'elle confesse à René dans un souffle son secret, sa « criminelle passion » pour lui. René décide de s'exiler. Une lettre vient en Amérique lui apprendre la mort d'Amélie : il ne trouvera plus jamais le bonheur et périra dans le massacre des Français et des Natchez en Louisiane : « On montre encore un rocher où il allait s'asseoir au soleil couchant » (p. 174). Ce dernier épisode est le sujet des *Natchez*.

● **Une confidence autobiographique :** *René* est une transposition des années que Chateaubriand passa en Bretagne près de sa sœur Lucile.

● **Du vague des passions :** l'être, dévoré par ses fantasmes, s'abandonne à la contemplation de la nature et à l'univers morbide de ses chimères. Cette maladie de la personnalité, ce « mal du siècle », est un état d'âme entretenu par l'environnement : les vents, les orages, la nuit. Les rumeurs du cœur trouvent leur écho dans la nature.

● **Le style :** Chateaubriand excelle par son style à suggérer cette torpeur passionnée : « Le jour, je m'égarais sur de grandes bruyères terminées par des forêts. Qu'il fallait peu de chose à ma rêverie !» (p. 152).

B. ROMANTISME ET HISTOIRE

Entre 1830 et 1840, le Romantisme prodigue ses chefs-d'œuvre romanesques : 1830, **le Rouge et le Noir** de Stendhal (cf. p. 65); 1831, **Notre-Dame de Paris** de Victor Hugo (cf. p. 59), et **la Peau de chagrin** de Balzac; 1832, **Indiana** de George Sand et **Stello** d'Alfred de Vigny; 1833, **Eugénie Grandet** de Balzac; 1834, **Volupté** de Sainte-Beuve; 1835, **le Père Goriot** (cf. p. 70) et **le Lys dans la vallée** de Balzac; 1836, **la Confession d'un enfant du siècle** d'Alfred de Musset; 1837, les **Illusions perdues** de Balzac; 1839, **la Chartreuse de Parme** de Stendhal (cf. p. 67); 1840, **Colomba** de Prosper Mérimée (cf. p. 84). En 1845, Victor Hugo songe déjà à son épopée du peuple, **les Misérables** (cf. p. 61).

Le goût que le romancier du XIXe siècle a eu pour l'histoire de son époque, et pour l'Histoire tout court, traduit une volonté d'explorer et d'observer l'homme dans ses épreuves, ses misères, ses guerres, ses révolutions, ses aspirations. C'est avec l'Histoire que commence le roman du XIXe siècle.

Walter Scott avait le premier, en Angleterre, sollicité l'imagination des lecteurs en ressuscitant dans ses romans un Moyen Age que l'Histoire commençait à découvrir. Les premières traductions de Walter Scott en français connurent un succès immédiat : **Waweley** et **Rob Roy** (1818), **la Fiancée de Lammermoor** (1819), **Ivanhoé** (1820), **Quentin Durward** (1823). L'exactitude de la reconstitution historique du monde chevaleresque, l'ingéniosité d'intrigues qui n'excluaient pas le souffle épique, à une époque où le monde médiéval se révélait (**la Chanson de Roland** ne fut « retrouvée » qu'en 1832), enthousiasmèrent Victor Hugo dès 1823.

Des romans de Charles Nodier[1] et de Hugo, l'influence de Scott s'étend à Alfred de Vigny (**Cinq-Mars**, 1826), Mérimée (**Chronique du règne de Charles IX,** 1829), Stendhal (qui publie en 1830 un article sur « Walter Scott et la Princesse de Clèves »), Balzac qui le lisait à l'âge de douze ans.

---

1. *Jean Shogar* (1818).

En 1837-38, Frédéric Soulié relate dans les **Mémoires du Diable,** imités du **Diable boiteux** de Lesage, les causes célèbres sous forme de roman-feuilleton. La formule plaît. La démocratisation de la presse favorise la diffusion de romans sous cette forme. La publication des **Mystères de Paris** (1842) et surtout du **Juif errant** (1845) d'Eugène Sue suffit à faire remonter les tirages du journal *le Constitutionnel.*

L'Histoire est un prétexte dont Alexandre Dumas tire un habile parti dans les **Trois Mousquetaires** (1844), **Vingt ans après** (1845), **le Vicomte de Bragelonne** (1848), **le Comte de Monte-Cristo** (1844) et **le Chevalier de Maison-Rouge** (1846). Théophile Gautier fait revivre l'Égypte dans **le Roman de la Momie** (1848), et Gustave Flaubert Carthage dans **Salammbô** (1862).

L'impulsion donnée par Walter Scott a propagé un extraordinaire engouement pour toute action romanesque, authentique ou fictive, située en des temps auxquels l'auteur donne l'apparence de la vérité historique. On pourrait dire que, dans cette limite, tous les romans du XIXe siècle sont historiques : des **Chouans** de Balzac à **Quatre-vingt-treize** de Victor Hugo, de **la Chartreuse de Parme** de Stendhal à cette « Histoire naturelle et sociale d'une famille sous le Second Empire » qu'est la série des **Rougon-Macquart** d'Émile Zola.

17. Notre-Dame de Paris[1], 1831

VICTOR HUGO[2]

En 1831, Victor Hugo (1802-1885) a vingt-neuf ans. Il écrit *Notre-Dame de Paris* en cinq mois, à la fois sous l'influence de W. Scott et dans la fascination de la cathédrale de Paris, bâtie au XIIᵉ siècle : « Alors, quiconque naissait poète se faisait architecte » (p. 203). Hugo, lui, tente une transposition littéraire de l'architecture.

La jeune bohémienne Esmeralda, qui se produit sur la place de Grève où elle danse pour le peuple avec sa chèvre Djali, est aimée du beau, mais inconstant, capitaine Phoebus, chef des archers. Elle est en même temps poursuivie des assiduités d'un inquiétant personnage, Claude Frollo, archidiacre de Notre-Dame, qu'un feu intérieur dévore. Claude Frollo a recueilli et élevé le difforme Quasimodo, carillonneur de la cathédrale, borgne, boiteux, bossu, sourd, que la dérision populaire a élu « pape des fous » : « La grimace était son visage » (p. 75) et l' « on eût dit un géant brisé et mal ressoudé » (p. 76). Comment ce « singe manqué » (p. 164) qui n'a que vingt ans ne tomberait-il pas amoureux d'Esmeralda, « une fée ou un ange » (p. 88) ?

Repoussé par Esmeralda, Claude Frollo, plein de haine et de jalousie, poignarde Phoebus en présence de la jeune fille qui s'évanouit : « Au moment où ses yeux se fermaient, où tout sentiment se dispersait en elle, elle crut sentir s'imprimer sur ses lèvres un attouchement de feu, un baiser plus brûlant que le fer rouge du bourreau » (p. 318). Et c'est au bourreau que la livre cet ardent baiser de Judas : Claude Frollo la laisse accuser du meurtre de Phoebus. En vain Quasimodo diffère-t-il son supplice en lui donnant asile dans Notre-Dame après un

1. Garnier-Flammarion.
2. Hubert Juin, *Victor Hugo*, Flammarion, 1981.

enlèvement spectaculaire ; le peuple la réclame et monte à l'assaut avec la troupe : « C'était comme une couche de monstres vivants sur les monstres de pierre de la façade » (p. 438). Esmeralda échappe un moment à la fureur de la foule ; une recluse folle la reconnaît miraculeusement, grâce à une amulette, pour sa fille. Mais elle est reprise par les gardes et livrée à la potence : c'est sous le gibet de Montfaucon que Quasimodo se laissera mourir, enlacé au cadavre de celle à qui il vouait un amour sans espoir, après avoir précipité, dans une scène hallucinante, Claude Frollo du haut des tours.

● **Un récit gothique** : Victor Hugo cherche à traduire le pittoresque et le lyrisme du Moyen Age sous le règne de Louis XI : « C'est une peinture de Paris au quinzième siècle et du quinzième siècle à propos de Paris[3]. » Et au cœur de Paris, de ses truands, de ses poètes, il y a Notre-Dame (p. 131 et suivantes). La fascination de Victor Hugo est telle que peut-être jamais romancier n'aura créé une telle complicité entre un édifice et un personnage : « Avec le temps, il s'était formé je ne sais quel lien intime qui unissait le sonneur à l'église » (p. 171).

En dépit de l'étendue de son érudition, Victor Hugo parvient-il à ressusciter le Moyen Age avec la rectitude d'un historien ? Ou n'escamote-t-il pas le passé, même s'il lui donne quelque vraisemblance (p. 439 et suivantes), au profit de sa propre imagination ?

● « **Une cathédrale de poésie** » : Victor Hugo reconnaissait lui-même que le mérite de *Notre-Dame de Paris* était « d'être une œuvre d'imagination, de caprice et de fantaisie[3] ». Le souffle créateur qui anime des descriptions toujours animées par l'action, le symbolisme des personnages, les thèses humanitaires de l'auteur, sont autant de visions d'un esprit qui emportent ce sujet extravagant dans une tempête de mots et d'images.

Cinéma : William Dieterlé, *Notre-Dame de Paris* (1930).
Jean Delannoy, *Notre-Dame de Paris* (1956).
Ballet : Roland Petit, ballet, musique de Marius Constant (1967).
Théâtre : Robert Hossein, adaptation scénique (1978).

3. *Victor Hugo raconté par un témoin de sa vie* (par Mme Victor Hugo, 1863).

18. Les Misérables[1], 1862

VICTOR HUGO

La rédaction des *Misérables* occupe Victor Hugo de 1845 (il conçoit un roman qui serait intitulé *Les Misères)* à 1862 (date de la publication ; il est encore en exil à Guernesey).

La genèse de cet énorme roman-épopée est parallèle aux luttes et aux échecs politiques de son auteur : le discours sur la misère prononcé à l'Assemblée législative où il vient d'être élu (1849-50), brouille Victor Hugo avec la droite et irrite Louis-Napoléon Bonaparte devenu Prince-Président par le suffrage universel en 1848. Compromis par sa lutte contre le coup d'Etat du 2 décembre 1851, qui redonne avec « Napoléon-le-Petit » un empereur à la France, Victor Hugo est exilé : il ne rentre en France qu'en 1870 après la proclamation de la République.

Le roman comprend cinq parties dont quatre sont dominées tour à tour par la figure de l'un de ses héros : Fantine, Cosette, Marius, Jean Valjean. L'homogénéité de l'ensemble est assurée par la personnalité de Jean Valjean.

L'œuvre s'ouvre sur les portraits successifs de Mgr Myriel, évêque de Digne, un homme qui « se penchait sur tout ce qui gémit et sur tout ce qui expie » (tome 1, p. 68) ; et de Jean Valjean qui a été envoyé au bagne pendant vingt ans (1795-1815) pour avoir volé un pain : « Il faut bien que la société regarde ces choses puisque c'est elle qui les fait » (tome 1, p. 100). La rencontre de ces deux hommes porte en germe la suite des événements : ébranlé par la miséricorde de l'évêque, qui l'innocente du vol de deux candélabres d'argent, l'ancien forçat entreprend son combat contre les fatalités et les injustices de la société.

Le premier épisode est celui de Fantine, « un de ces êtres comme il en éclôt pour ainsi dire au fond des peuples. Sortie des

---

1. Livre de Poche, 3 tomes.

plus insondables épaisseurs de l'ombre sociale, elle avait au front le signe de l'anonyme et de l'inconnu » (tome 1, p. 137). Séduite et abandonnée par un étudiant parisien (1817), elle tente d'élever leur petite fille, Cosette. Mais elle est contrainte de la confier à un couple d'aubergistes sordides, les Thénardier, dont Cosette est le souffre-douleur : « La souffrance sociale commence à tout âge » (tome 1, p. 172).

Cependant, à Montreuil-sur-Mer, un industriel a fait fortune : M. Madeleine. Il a conquis l'estime de tous par sa générosité ; il devient même maire de la ville (1820). Mais, pour sauver un malfaiteur, Champmathieu, que l'on prend pour lui, il n'hésite pas à dévoiler publiquement sa véritable identité : il n'est autre que Jean Valjean. Il est arrêté par le policier Javert au moment même où Fantine, qui a été renvoyée de la fabrique où elle gagnait péniblement la pension de Cosette, meurt de la déchéance à laquelle la société l'a contrainte : « On coucha Fantine dans les ténèbres parmi les premiers os venus ; elle subit la promiscuité des cendres. Elle fut jetée à la fosse publique. Sa tombe ressembla à son lit » (tome 1, p. 322).

Envoyé aux galères, Jean Valjean s'évade, recueille Cosette et l'emmène vivre avec lui à Paris. Toujours traqué par la police, il se réfugie avec la petite fille dans un couvent.

Plusieurs années s'écoulent. C'est alors qu'apparaît le personnage de Marius, étudiant en droit épris de démocratie, idéaliste passionné comme l'était Hugo à vingt ans. Son ami Enjolras est une sorte de Saint-Just : « On eût dit, à voir la réverbération pensive de son regard, qu'il avait déjà, dans quelque existence précédente, traversé l'apocalypse révolutionnaire » (tome 2, p. 174). Nous faisons aussi la connaissance d'un gamin de Paris, Gavroche, fils abandonné de Thénardier : « Cet enfant ne se sentait jamais si bien que dans la rue. Le pavé lui était moins dur que le cœur de sa mère » (tome 2, p. 121).

A nouveau menacé, près d'être repris, mais sauvé par Marius, Jean Valjean, éternel fugitif, doit encore se cacher. La rencontre fortuite de Marius et de Jean Valjean met en présence le jeune révolutionnaire et Cosette, qu'il croit être sa fille. L'amour naît instantanément (1831).

Cependant, Paris s'insurge. Les Républicains prennent le prétexte des funérailles de Casimir Périer pour tenter un coup de force. Les barricades s'élèvent, telles que Victor Hugo les avait connues en juin 1848. Marius et Jean Valjean sont parmi les émeutiers. Gavroche est tué, Marius blessé. Les manifestants, sur le point d'être écrasés, se dispersent. Jean Valjean sauve Marius et l'emmène dans les égouts de Paris où ils se réfugient (juin 1832).

La dernière partie du roman voit le suicide de Javert, que la grandeur d'âme de Jean Valjean a enfin troublé, et qui se jette dans la Seine. Marius peut maintenant épouser Cosette, non sans que Jean Valjean ait révélé toute la vérité aux jeunes gens (1833). Pendant l'été, ayant accompli sa tâche, Jean Valjean meurt « comme la nuit se fait lorsque le jour s'en va » (tome 3, p. 504), à l'âge de soixante-cinq ans, dix-huit années après le moment où Mgr Myriel lui avait indiqué le chemin de la pitié et de la justice : « La nuit était sans étoiles et profondément obscure. Sans doute, dans l'ombre, quelque ange immense était debout, les ailes déployées, attendant l'âme » (tome 3, p. 503).

● **Un plaidoyer :** ce roman est une dénonciation : « ...tant qu'il y aura sur la terre ignorance et misère, des livres de la nature de celui-ci pourront ne pas être inutiles » (tome 1, p. 8). Jean Valjean résiste à « la dégradation de l'homme par le prolétariat » ; Fantine illustre « la déchéance de la femme par la faim » ; Cosette et Gavroche représentent « l'atrophie de l'enfant ». Mais Enjolras prophétise que « le XXe siècle sera heureux » (tome 3, p. 225)...

● **Une épopée du peuple :** une inscription sur un mur donne le thème : « Vivent les peuples ! » (tome 3, p. 211). Victor Hugo écrit une épopée du peuple, fait « le poème de la conscience humaine » (tome 1, p. 238). Le peuple, représenté par des personnages qui sont des idéees plus que des réalités psychologiques individuelles, grouille dans le livre.

Sous l'influence des doctrines socialistes d'Owen, de Saint-Simon, de Fourier, de Proudhon qui écrivait : « La propriété, c'est le vol », Victor Hugo accuse : une sorte de destin régit les sociétés, une « damnation sociale » accable certains : « Humanité, c'est identité. Tous les hommes sont la même argile. Nulle différence, ici-bas du moins, dans la prédestination. Même ombre avant, même chair pendant, même cendre après. Mais l'ignorance, mêlée à la pâte humaine, la noircit. Cette incurable noirceur gagne le dedans de l'homme et y devient le Mal » (tome 2, p. 48).

Mais les ténèbres de l'ignorance se dissipent : « Le progrès est le monde de l'homme. La vie générale du genre humain s'appelle le Progrès : le pas collectif du genre humain s'appelle le Progrès. Le progrès marche ; il fait le grand voyage humain et terrestre vers le céleste et le divin » (tome 3, p. 271). Tel est le message prophétique qui s'inscrit en filigrane de cette fresque sociale.

● **L'originalité :** elle est dans la forme ; Victor Hugo sertit son histoire dans un contexte qui lui permet toutes les digressions. Il décrit encore une fois Paris ; il raconte la bataille de Waterloo, donnant pour fond historique à son roman la période qui va de Napoléon vaincu au roi bourgeois, Louis-Philippe ; il fait une étude de l'argot. Avant Zola, Victor Hugo s'informe et informe. Il alterne les chapitres narratifs et les chapitres de méditation. Il fond l'épopée en prose et le roman historique dans un ensemble unique.

Cinéma : Raymond Bernard, *les Misérables* (1933).
Jean-Paul Le Chanois, *les Misérables* (1957).

Théâtre : Robert Hossein, adaptation musicale (1980).

19. Le Rouge et le Noir[1], 1830

STENDHAL

Henri Beyle dit Stendhal (1783-1842) a connu successivement la Révolution, l'Empire et la Restauration : l'histoire contemporaine marque profondément le destin de ses héros : Julien Sorel qui lit le *Mémorial de Sainte-Hélène* de Las Cases (1827) ; Fabrice del Dongo qui participe à la bataille de Waterloo (18 juin 1815).

Sa carrière militaire (il rejoint l'armée d'Italie en 1800), puis diplomatique (consul de France à Civita-Vecchia en 1831), lui révèle l'Italie et l'art italien.

L'Empire (Napoléon meurt en 1821) fait naître *le Rouge et le Noir*. L'Italie inspire généreusement *la Chartreuse de Parme*.

1820, *De l'Amour.*
1827, *Armance.*
1830, *Le Rouge et le Noir.*
1832, *Souvenirs d'égotisme.*
1834, *Lucien Leuwen.*

1835, *La Vie de Henri Brulard.*
1839, *La Chartreuse de Parme.*
1839, *L'Abbesse de Castro.* Posthume, *Lamiel.*

Le Rouge et le Noir raconte l'histoire d'un jeune ambitieux, Julien Sorel, qui, nourri des rêves napoléoniens, essaie de s'élever au-dessus de sa condition sociale. Deux femmes servent son projet : Mme de Rênal et Mathilde de la Mole. Les deux séjours que Julien effectue, d'abord chez le maire de Verrières, M. de Rênal, où l'éducation des enfants lui est confiée, puis chez un grand seigneur franc-comtois, le marquis de la Mole, sont séparés par un passage au grand séminaire de Besançon.

Fils du père Sorel, qui possède une scierie, Julien, dont les grands yeux noirs « annonçaient de la réflexion et du feu » (p. 17), décide très tôt de faire fortune. L'opportunité autant que sa volonté personnelle vont servir sa résolution. Il entre au service de Mme de Rênal qui n'est pas insensible à son charme romantique. Un soir, dans l'obscurité du jardin, Julien effleure sa main qui « se retira bien vite ».

1. Classiques Garnier.

« Mais Julien pensa qu'il était de son *devoir* d'obtenir que l'on ne retirât pas cette main quand il la touchait » (p. 51), et ainsi se fera-t-il un *devoir* d'obtenir toujours ce qu'on lui refuse. Tandis que Mme de Rênal s'effraie du sentiment naissant, M. de Rênal, alerté par une lettre anonyme, juge opportun d'éloigner Julien.

Celui-ci entre alors au séminaire de Besançon pour revêtir **le noir** de la soutane (d'où la deuxième partie du titre du roman) : « Ce fut le moment le plus éprouvant de sa vie » (p. 186). Après quatorze mois de séparation, Julien s'introduit chez Mme de Rênal en pleine nuit, la revoit, et lui annonce son départ pour Paris.

Devenu secrétaire intime de M. de la Mole, Julien fait ses premiers pas dans les salons parisiens. Il attire, par sa force de caractère, l'attention de Mathilde, la fille du marquis, elle-même assez audacieuse pour dominer son orgueil et attirer Julien dans sa chambre : « C'était le plus vif bonheur d'ambition, et Julien était surtout ambitieux » (p. 341). Julien est chargé de mission à l'étranger ; Mathilde s'aperçoit qu'elle est enceinte. Il faut que Julien l'épouse. M. de la Mole le dote, l'anoblit, le munit d'un brevet de lieutenant des hussards (**le rouge** de l'uniforme est donc la deuxième couleur qui caractérise le roman). « C'est au milieu des transports de l'ambition la plus effrénée » (p. 447) que les projets de Julien sont ruinés : une lettre de Mme de Rênal dénonce à M. de la Mole les mobiles intéressés de Julien. Furieux, Julien se rend à Verrières, et à l'église, pendant l'élévation, tire sur Mme de Rênal deux coups de pistolet (**le rouge** du sang sur la soutane **noire** de l'officiant ?).

Condamné à mort, Julien accepte un châtiment qu'il mérite. Ni les interventions passionnées de Mathilde, ni celles, miséricordieuses, de Mme de Rênal, qui a survécu, ne peuvent le convaincre. A Mathilde, le funèbre devoir de l'ensevelir au cœur des montagnes du Jura. Quant à Mme de Rênal, « trois jours après Julien, elle mourut en embrassant ses enfants [2] » (p. 508).

Cinéma : Claude Autant-Lara, *le Rouge et le Noir* (1954).

2. Les thèmes de ce roman seront étudiés en même temps que ceux de *la Chartreuse de Parme* (cf. p. 67).

20. La Chartreuse de Parme[1], 1839

STENDHAL

En 1798, deux ans après que le général Bonaparte a fait son entrée à Milan, Fabrice del Dongo vient « de se donner la peine de naître » (p. 11). L'imagination passionnée de l'enfant est exaltée à la fois par la beauté des lacs et des collines, près du château de Grianta où résident ses parents ; par l'affection excessive que lui voue sa tante Gina Pietranera auprès de qui il vit des heures enivrantes ; par la figure de Napoléon enfin que lui rappelle comme un présage un aigle « qui volait majestueusement se dirigeant vers la Suisse, et par conséquent vers Paris » (p. 27). Fabrice s'échappe du château paternel pour, après bien des mésaventures romanesques, rejoindre son héros au cœur de la bataille de Waterloo (3 juin 1815).

A son retour en Italie, sa tante, qui a épousé le vieux duc Sanseverina pour couvrir la liaison qu'elle entretient avec le comte Mosca, premier ministre du prince de Parme Ernest-Ranuce IV, le prend sous sa protection. Elle est « toujours passionnée pour quelque chose, toujours agissante, jamais oisive » (p. 119) et désire que Fabrice devienne évêque. Après quatre années d'études à Naples, il revient à Parme avec le titre de *monsignore*, ce qui ne l'empêche pas de s'éprendre d'une jeune actrice, Marietta, de provoquer la jalousie de son amant, le comédien Giletti, et de tuer celui-ci en duel.

La sollicitude passionnée de la Sanseverina pour son neveu ne tarde pas à se manifester quand Fabrice, arrêté pour ce meurtre, est incarcéré dans la citadelle de Parme (1821). Au pied de la tour Farnèse, où Fabrice passe neuf mois, Clélia Conti, la fille du gouverneur de la prison, soigne ses oiseaux. Tandis que la Sanseverina et le comte Mosca intriguent pour le sauver, le prisonnier n'a d'yeux que pour cette jeune fille dont il avait

1. Classiques Garnier.

naguère remarqué la beauté. Sa tante le fait-elle évader, il se livre de nouveau à la police. Il revoit Clélia.

Mais tandis que la Sanseverina promet au prince, qui est follement amoureux d'elle, de lui appartenir si Fabrice est sauvé, Clélia fait le vœu, si Fabrice est épargné, de ne jamais le revoir et d'épouser le marquis Crescenzi. Les deux femmes tiennent leurs promesses. Sa dette acquittée, la Sanseverina épouse le comte Mosca et s'exile à Naples, d'où elle exhorte Fabrice, devenu adjoint de l'archevêque de Parme, à se lancer dans la prédication. Mais il est fou d'amour pour Clélia ; de leur liaison naît un fils (1827) qui meurt peu avant sa mère qui « se figura qu'elle était frappée par une juste punition pour avoir été infidèle à son vœu à la Madone » (p. 479). Miné par le chagrin, Fabrice succombe un an plus tard à la Chartreuse de Parme où il s'était retiré. Sa tante ne lui survit pas (1830).

● **Un diptyque** : malgré la diversité des lieux et des milieux, l'originalité de chacune des actions et des personnages qui la vivent, de l'art même, plus concerté dans *le Rouge et le Noir,* plus véhément dans *la Chartreuse de Parme* écrite en deux mois, les deux romans présentent de nombreuses parentés.

● **Les personnages** : Julien et Fabrice sont des « âmes de feu » prêtes à se consumer pour un idéal, tantôt soldats et tantôt prêtres, mus par la même idole et le même entêtement à sortir du médiocre pour s'élever vers le sublime. A Mme de Rênal/ Clélia, tendres et passionnées, s'opposent en les complétant Mathilde/la Sanseverina, énergiques et exaltées.

● **Les faits sont vrais** : *le Rouge et le Noir* est issu de deux drames vécus que Stendhal avait lus dans *la Gazette des Tribunaux. La Chartreuse de Parme* est inspirée par des chroniques italiennes du XVIe siècle.

Verrières en 1826 ou Milan en 1796 ? D'un côté, une société guérie des rêves de l'Empire où l'arriviste issu du peuple se sert des nobles décadents ; de l'autre, les principautés corrompues à la veille de l'unité italienne (Risorgimento). Dans les deux cas, le goût de l'intrigue.

● **Les prisons** : Julien y goûte une sérénité délicieuse. Le cachot du condamné lui rappelle sa chambre de séminariste. Fabrice y a découvert l'amour. Par la lucarne à demi occultée, il laisse entrer le paradis perdu.

● **L'égotisme** : par ce mot d'origine anglaise, Stendhal indique dans ses *Souvenirs d'égotisme* cette volonté de ne parler que de lui, ou que des autres vus par lui : ses héros ont le culte du moi à un point excessif, tantôt par exaltation, tantôt par renoncement, mais toujours sous couvert d'une sincérité qui prétend les excuser ; ils n'ont qu'une hâte, c'est d'accéder au sublime ou de se détruire.

● **Le héros stendhalien** : il cherche le salut dans l'héroïsme ou dans l'amour. Il est généralement gouverné par une résolution invincible qui le pousse à se surpasser pour atteindre, soit par concertation chevaleresque, soit par coups de tête irréfléchis, un but qu'il s'est promis d'atteindre.

● **La cristallisation** : ce but peut être l'amour. Il « cristallise » alors, selon la théorie que Stendhal explique dans *De l'Amour,* les sensations vagues pour les fixer progressivement en une passion culminante et fatale. Ce paroxysme atteint, l'amour, une fois cristallisé, perd de son intérêt et s'évapore dans une sublimation qui n'en est que l'échec.

● **Le roman-miroir** : « Un roman, c'est un miroir qu'on promène le long du chemin « (*le Rouge et le Noir,* p. 76). Cette définition placée en exergue du chapitre XIII résume les idées de Stendhal sur le roman : une apparence de vie, une lucarne en mouvement, un fragment d'un tout, dont le reflet se déplace en séquences multiples, le long des chemins où le romancier conduit son lecteur.

Opéra :   Henri Sauguet, *la Chartreuse de Parme* (1939).

Cinéma :   Christian-Jaque, *la Chartreuse de Parme* (1947).
                Bernardo Bertolucci, *Prima della Rivoluzione* (1964).

21. Le Père Goriot[1], dans La Comédie Humaine, 1835

HONORÉ DE BALZAC

Honoré de Balzac (1799-1850) est en 1835 un homme qui, ruiné par ses entreprises d'éditeur, s'est lancé depuis 1829 avec *les Chouans* dans une carrière littéraire ; elle se poursuivra durant vingt ans par la publication de 95 ouvrages et l'ébauche de 48 autres.

Ce bourreau de travail, qui écrit *le Père Goriot* à raison de vingt heures quotidiennes entre septembre 1834 et janvier 1835, mène en outre une vie mondaine très active, aime, et, pareil à ses personnages, consume son énergie sans la ménager.

Le Père Goriot apparaît entre *le Rouge et le Noir* (1830) et *la Chartreuse de Parme* (1839), après *Notre-Dame de Paris* (1831) et dix ans avant que Victor Hugo ne conçoive *les Misérables,* œuvre dans laquelle l'influence de Balzac est perceptible. Il est enfin contemporain des romans de George Sand *(Indiana,* 1832 ; *Lélia,* 1833).

1829, *Les Chouans.*
1830, *Gobseck.*
1830, *La Maison du chat-qui-pelote.*
1831, *La Peau de chagrin.*
1831, *La Duchesse de Langeais.*
1832, *Le Colonel Chabert.*
1833, *Le Médecin de campagne.*
1833, *Eugénie Grandet.*

1834, *La Recherche de l'absolu.*
1835, *Le Père Goriot.*
1835, *Le Lys dans la Vallée,*
1837, *Grandeur et décadence de César Birotteau.*
1837, *Illusions perdues.*
1839, *Splendeurs et misères des courtisanes.*
1841, *Une ténébreuse affaire.*
1846, *La Cousine Bette.*
1847, *Le Cousin Pons.*

A la Maison Vauquer se trouvent rassemblés comme par un étrange hasard des types humains bien singuliers : le père Goriot, autrefois riche fabricant de vermicelle et de pâtes d'Italie ; Monsieur Vautrin, qui se prétendait ancien négociant ;

1. Garnier-Flammarion.

Eugène de Rastignac, jeune provincial pauvre venu d'Angoulême à Paris pour y étudier le droit. Les pensionnaires croient que le père Goriot, qui, depuis six ans qu'il s'est retiré chez Mme Vauquer, n'a cessé de réduire son train de vie, se ruine pour des femmes. Celles-ci sont en réalité ses filles, Anastasie, l'aînée, comtesse de Restaud, et Delphine, la cadette, qui a épousé un banquier, le baron de Nucingen.

Rastignac, poussé par la curiosité et l'ambition, se rend chez Mme de Restaud « en se livrant pendant la route à ces espérances étourdiment folles qui rendent la vie des jeunes gens si belle d'émotion » (p. 67). Mais, dès la première entrevue, il se ferme la porte des Restaud en rappelant maladroitement à Anastasie qu'elle est une demoiselle Goriot, la fille d'un vermicellier. Il fait alors appel à sa parente, Mme de Beauséant, qui lui conseille de se faire présenter à Delphine de Nucingen, qui hait sa sœur : « Il existe quelque chose de plus épouvantable que ne l'est l'abandon du père par ses deux filles, qui le voudraient mort. C'est la rivalité des deux sœurs entre elles » (p. 88).

Vautrin, qui, de son côté, s'est pris pour Rastignac d'une étrange affection, veut lui confier les secrets de la réussite. Il lui suggère de se servir de sa liaison avec Delphine de Nucingen pour satisfaire son ambition. Cette machination fait horreur au jeune homme, mais il ne peut s'empêcher d'admirer « le cynisme même de ses idées et... l'audace avec laquelle il étreignait la société » (p. 155). Sur ces entrefaites, Vautrin est dénoncé comme l'ancien forçat Trompe-la-mort, et, lors de son arrestation, il exhale sa haine de la société.

Le père Goriot, qui a tout donné à ses filles, son amour, son argent, agonise à présent sur un grabat ; ce n'est plus qu'un « débris » dont Rastignac prend soin comme s'il eût été son fils. Rien ne peut convaincre les deux sœurs de se rendre au chevet de leur père, si ce n'est pour qu'il leur vienne en aide encore une fois, car elles sont ruinées. Et le père Goriot meurt misérablement. Rastignac engage sa montre pour payer l'enterrement qui ne sera suivi que des voitures armoriées, mais vides, de ses deux gendres, et des gens de ses deux filles. Inspiré par le drame sublime du père Goriot, la vindicte[2] de Vautrin,

---

2. Poursuite d'un crime au nom de la société.

l'ingratitude et l'hypocrisie de la société, Rastignac jette un défi à « ce beau monde dans lequel il avait voulu pénétrer » : « A nous deux maintenant ! » (p. 254).

● **Un rêve de paternité :** le père est à son tour un créateur qui vit par personnes interposées, c'est-à-dire les enfants, la vie qu'il a engendrée. A ce thème majeur se joint un autre, celui de l'éducation : c'est Rastignac, en qui Vautrin voudrait reconnaître un fils spirituel, et qui essaie filialement d'adoucir les derniers instants de Goriot, qui porte le message d'avenir de l'œuvre.

Ce qu'il y a de familier dans le titre, « le *père* Goriot » (p. 74), grandit peut-être encore la notion de « paternité » que Balzac pousse au sublime : « Quand j'ai été père, j'ai compris Dieu. » Le père est un Père *Éternel* (p. 91). Rien ne peut blesser davantage Goriot que de mettre en doute sa paternité (p. 47). Son seul bonheur vient de celui de ses filles : « Se sont-elles bien amusées ? » (p. 234) et sa douleur de leurs épreuves : « Elles ne sont pas heureuses ! » (p. 219). Pour cet homme qui « représentait la Paternité » (p. 251) et qui, semblable au roi Lear[3], est dépossédé par ses filles et finit nu, comment ne pas imaginer que « la patrie périra si les pères sont foulés aux pieds » (p. 239) ?

● **Une cellule :** *le Père Goriot* est une sorte de cellule biologique autour de laquelle se développe dans sa diversité le tissu tout entier de *la Comédie Humaine.* A partir de ce centre, une sorte de rayonnement se propage dans toutes les directions : *le Père Goriot,* par la réapparition de ses personnages, se prolonge, directement ou indirectement, dans la presque totalité des autres romans de Balzac.

● **La clef de voûte d'un édifice :** ce n'est qu'en 1839, dans une lettre à son éditeur, que Balzac mentionne pour la première fois le titre général qu'il envisage de donner à l'ensemble de son œuvre : *la Comédie Humaine,* suggéré par *la Divine Comédie* de Dante. Marcel Proust explique cette démarche : « Balzac, jetant sur ses ouvrages le regard à la fois d'un étranger et d'un père, s'avisa brusquement, en projetant sur eux une illumination

---

3. *Le roi Lear,* tragédie de Shakespeare.

rétrospective, qu'ils seraient plus beaux réunis en un cycle où les mêmes personnages reviendraient et ajouta à son œuvre, en ce raccord, un coup de pinceau, le dernier et le plus sublime. » L'idée première étant venue à Balzac dès 1833, *le Père Goriot* constitue un terrain d'essai, mais se place du même coup au sommet de l'édifice.

● *La Comédie Humaine,* **une pyramide :** la table générale de *la Comédie Humaine* répartit les œuvres achevées ou ébauchées en trois sections : pareille aux temples bouddhiques, cette pyramide s'élève symboliquement par degrés vers un sommet où la pensée épurée domine l'ensemble.

— Les **Études de mœurs** servent de base. Elles comprennent les scènes diverses de *la Comédie Humaine :* la Vie privée, la Vie de province, la Vie parisienne, la Vie politique, la Vie militaire, la Vie de campagne. Elles constituent le *spectacle.*

— Les **Études philosophiques** constituent l'assise seconde. Balzac se demande le pourquoi des sentiments, le pourquoi de la vie. Il pénètre dans les *coulisses.*

— A la cime règne *l'auteur.* Dans les **Études analytiques,** il dégage les *principes* de cette Comédie « aux cent actes divers » que jouent les hommes : « L'immensité d'un plan qui embrasse à la fois l'histoire et la critique de la Société, l'analyse de ses maux et la discussion de ses principes, m'autorise, je crois, à donner à mon ouvrage le titre sous lequel il paraît aujourd'hui : *la Comédie Humaine*[4] », conclut Balzac en 1842.

● **« Les mille et une nuits de l'Occident » :** un tel projet fait toucher du doigt la grande difficulté du roman en général : il prétend restituer la réalité de la vie, mais il n'en rend facticement ou fictivement qu'un fragment capté dans le miroir déformant du romancier. Comment traduire la multiplicité des êtres et la multiplicité de l'être ?

Balzac sent qu'il porte un monde en lui : « La Société française` allait être l'historien, je ne devais être que le secrétaire. » Il se demande alors : « Comment rendre intéressant le drame à trois ou quatre mille personnages que présente une

4. *La Comédie Humaine,* la Pléiade, tome 1, p. 16.

société ? » Et l'idée jaillit : il faut « faire concurrence à l'état civil ». Et comme un seul roman ne suffit pas à saisir les métamorphoses d'un personnage confronté au cours de sa vie à des situations innombrables et vivantes, pourquoi ne pas le faire *réapparaître,* tantôt au premier plan, tantôt comme simple silhouette, dans les autres romans ?

● **Les personnages clés du** *Père Goriot* : certains personnages du *Père Goriot* étaient déjà apparus avant que Balzac ne conçoive clairement le procédé. On peut alors se demander si l'ordre de composition des romans peut suivre la chronologie de la vie des différents personnages. Il n'en est rien. Un roman postérieur pourra faire effectuer un retour en arrière par rapport à tel personnage.

Il est impossible de citer tous les romans où reviennent Mme de Nucingen *(les Illusions perdues, la Maison Nucingen, Ferragus, Splendeurs et Misères des Courtisanes,* etc.) et Rastignac (dans plus de vingt romans et nouvelles) ; on retrouve le père Goriot dans *Gobseck* et dans *Modeste Mignon ;* Mme de Restaud dans *Gobseck, la Maison Nucingen, le Bal de Sceaux* et *la Peau de Chagrin ;* Mme de Beauséant dans *la Femme abandonnée.* Les personnages épisodiques, comme la duchesse de Langeais, Henri de Marsay, de Trailles, Vandenesse, font de multiples apparitions. Vautrin sera « incarné » successivement dans *Splendeurs et Misères des Courtisanes, le Père Goriot, les Illusions perdues* et *le Contrat de Mariage.*

Vautrin, inspiré par la figure de François Vidocq, ancien bagnard qui devint chef de la Sûreté, est un révolté génial : « Il savait ou devinait les affaires de ceux qui l'entouraient, tandis que nul ne pouvait pénétrer ni ses pensées, ni ses occupations » (p. 36). Il veut communiquer aux autres sa volonté de puissance. Et Balzac, explorant toutes les possibilités du sentiment humain, fait de son inclination pour Rastignac dans *le Père Goriot* et pour Rubempré dans *Splendeurs et Misères des Courtisanes* un puissant mobile d'action. Le drame de Vautrin engendre celui de Rastignac qui, dans ces années d'apprentissage, concilie mal la pureté et l'ambition : il ne sait pas qu'il finira ministre.

● **A la recherche de la vérité :** « Ah ! sachez-le : ce drame n'est ni une fiction, ni un roman... Il est si véritable, que chacun peut en reconnaître les éléments chez soi, dans son cœur peut-être » (p. 26). La vérité, Balzac la cherche dans la peinture des milieux, modeste pension de famille ou riches hôtels particuliers ; dans l'analyse des sentiments, faillite de la charité, veulerie de l'ambition ou sursauts de la pureté ; dans les portraits des personnages, initiateurs ou novices, âmes désintéressées ou esprits pervers.

Ce travail auquel s'est livré Balzac, cherchant à donner à l'œuvre d'art les apparences de la vie, n'est que la projection, sous de multiples formes, de son esprit et de son cœur : « Le romancier crée ses personnages avec les directions infinies de sa vie possible. »

Balzac a certainement donné de la société française un tableau si vrai et si puissant que le temps et l'évolution des mœurs ne l'ont pas affaibli. Les événements transforment les mentalités, mais il y a une sorte de permanence propre à chaque peuple. C'est cette identité française que Balzac a su atteindre au point que, pour beaucoup d'étrangers, par exemple, il reste l'écrivain qui a le mieux exploré dans ses diversités la vie en France.

Son influence est considérable et les grandes fresques de Zola, de Proust, d'Aragon ou de Jules Romains pousseront jusqu'à la veille de la Seconde Guerre mondiale cette analyse d'une société que guettent des mutations considérables.

Cinéma : Robert Vernay, *le Père Goriot* (1944).

De 1910 *(Eugénie Grandet)* à nos jours, la plupart des grands romans de Balzac ont été portés à l'écran.

C. DU RÉALISME AU NATURALISME

La filiation serait impeccable de Victor Hugo à Émile Zola, du Romantisme proclamé en 1823 au Naturalisme qui se manifeste en 1877, s'il n'y avait des artistes qui échappent aux écoles et aux courants. Entre **le Père Goriot** (p. 70) et **Madame Bovary** (p. 80), entre ces deux réalités de deux frustrations analogues et authentiques, le père qui meurt d'avoir trop aimé des filles ingrates, et la femme qui meurt de n'avoir pas rencontré l'amour à la dimension de ses rêves, se situe **Aurélia** (cf. p. 78). Et Aurélia n'existe pas : c'est un songe qui hante l'esprit tourmenté de Nerval. C'est un feu follet qui l'oblige à s'enfoncer toujours plus profondément dans ses propres ténèbres.

Cette singulière figure ne trouve parmi ses contemporains personne qui lui ressemble, si ce n'est, peut-être, **l'Ensorcelée** que Barbey d'Aurevilly publie en 1854. C'est l'époque des grands romans de George Sand, **le Meunier d'Angibault** (1845), **la Mare au Diable** (1846), **la Petite Fadette** (1849), **François le Champi** (1850), **les Maîtres sonneurs** (1853). Romantique dans l'âme, George Sand réprime les débordements de sa nature et l'emportement avec lequel elle voudrait défendre *la condition féminine,* par le goût du rustique et du social.

Entre 1857 (**Madame Bovary** de Gustave Flaubert, cf. p. 80) et 1869 (**l'Éducation sentimentale,** cf. p. 82), les frères Goncourt publient **Germinie Lacerteux** (1865), Alphonse Daudet, **le Petit Chose** (1868) et Zola, **Thérèse Raquin** (1867).

A la densité des romans de Hugo, de Stendhal, de Balzac, de Flaubert, de Zola, s'oppose la concision de la nouvelle. Mérimée (cf. p. 84), qui cherche dans le réel le romantisme et le tragique véritables, en est le maître incontesté. Bien qu'apparentée au roman, elle n'en est pas la réduction. Maupassant (cf. p. 88), naturaliste de la première heure, y excelle par la justesse et la concision de ses observations. Barbey d'Aurevilly (cf. p. 86), symboliste saisi par le goût de l'extraordinaire, y mêle, avec un art qui paraît négligé, des parfums de femmes, l'odeur âcre des envoûtements et les émanations de l'Enfer.

Émile Zola (cf. p. 90) porte le Naturalisme à son apogée. Ce prodigieux XIXᵉ siècle aura vu naître des sommes romanesques aussi démesurées que **la Comédie Humaine** ou **les Rougon-Macquart.** Auprès d'elles, les Voyages **extraordinaires** de Jules Verne restent des divertissements. Pourtant, **Vingt mille lieues sous les mers** (cf. p. 94), contemporain de l'**Éducation sentimentale** de Flaubert (1869), sept ans avant **l'Assommoir,** n'est pas seulement l'œuvre d'un auteur pour la jeunesse. Jules Verne a ressenti à sa manière, lui aussi, le mal des sociétés et imprimé aux mondes en miniature que son imagination a créés, des théories socialistes[1].

Mais, tandis que Zola abandonne ses personnages à la fatalité de leur condition, Jules Verne communique aux siens une dynamique de l'idéal qui les soustrait à la réalité.

1. Jean Chesneaux, *Une lecture politique de Jules Verne* (Librairie Françοis Maspero, 1971).

22. Aurélia ou le rêve et la vie[1], 1855

GÉRARD DE NERVAL

Traducteur du *Faust* de Goethe à l'âge de vingt ans, Gérard de Nerval (1808-1855) est, à l'image des Romantiques allemands, une âme habitée par le rêve. Sa rencontre avec Jenny Colon (1833) introduit dans son univers poético-onirique la figure de la femme-fée. L'exotisme d'un *Voyage en Orient* (1842-1843), la folie qui le guette par crises successives, confèrent à *Aurélia* un climat de légendes et de visions. Le 26 janvier 1855, le poète est trouvé pendu rue de la Vieille Lanterne à Paris. Le désir exprimé dans *la Mer* en 1848 est exaucé : « Enfin, je m'embarque pour l'infini ! »

1832, *La Main de gloire.*	**1855,** *Aurélia.*
1834, *Les Filles du feu.*	

« Le rêve est une seconde vie. Je n'ai pu percer sans frémir les portes d'ivoire ou de corne qui nous séparent du monde invisible » (p. 359). Il n'y a pas d'autre personnage que le narrateur qui rêve d'Aurélia. Il a naguère entrevu une jeune femme, Adrienne, qui est morte : « Ici a commencé ce que j'appellerai l'épanchement du songe dans la vie réelle » (p. 363). Il l'appelle Aurélia, mais, sous ce nom, à travers les différentes femmes qu'il a ensuite aimées, c'est vers l'image floue de son premier amour qu'il remonte. Désormais, ses nuits sont hantées par des mirages et des fantasmes. Tantôt il parcourt des villes imaginaires, des rives mystérieuses, sans percevoir la nette marge entre la réalité (Paris, les voyages qu'il a effectués) et ses songes. Tantôt il croit entendre les appels déchirants d'Aurélia, écho du monde invisible dans celui des vivants.

Il tente alors, nouvel Orphée, sa descente aux Enfers, une plongée dans le rêve, en quête du fantôme qui l'obsède. Mais, à mesure qu'il s'enfonce et que sa raison s'obscurcit, il éprouve le besoin de Dieu. Il échappe aux visions désespérées de son sommeil par une sorte de mysticisme. Le rêve lui apparaît comme une maladie dont il faut guérir : « N'est-il pas possible

1 La Pléiade, *Œuvres,* Tome 1.

de dompter cette chimère attrayante et redoutable, d'imposer une règle à ces esprits des nuits qui se jouent de notre raison ? » (p. 142). Mais, submergé par ses rêves, sans doute se leurre-t-il quand il pense s'évader de lui-même et revenir de ses Enfers intérieurs.

● **Un « Journal de la folie »** : Nerval a donné les premiers signes de folie en février 1841. A la suite d'une nouvelle crise de déséquilibre mental, il entre en août 1853 chez le célèbre docteur Blanche à Passy, où en 1892 sera interné Guy de Maupassant. Il y commence *Aurélia* en décembre. Le souvenir de Jenny Colon, morte en 1842, n'est que le prétexte d'une œuvre qui est la somme de son expérience : la vie, le rêve, la méditation, s'y superposent en un récit lucide. Le poète règne sur sa propre démence, l'organise, l'interroge.

● **Illumination mystique** : la quête orphique (descente aux Enfers d'Orphée), les épreuves (les apparitions successives de la femme aimée), l'illumination finale, dans un climat d'ésotérisme où les mythologies se mêlent, font de ce roman un récit initiatique.

● **Saisir l'Inexprimable** : les mouvements intérieurs se traduisent en visions cosmiques (le soleil noir dans un ciel désert) ; les cycles se referment. L'effort de création artistique exorcise cet esprit halluciné, précipité dans un monde apocalyptique, qui lutte par les mots contre l'enlisement de l'âme. « Ne m'attends pas ce soir, écrit-il à sa tante à l'heure du suicide, car la nuit sera noire et blanche » - conciliation désespérée des illuminations fulgurantes et des ténèbres progressives.

Pour la première fois, le monde du rêve est exploré. Bien avant Freud, Nerval a l'intuition d'une analyse psychique systématique. Tandis que le poète, à la poursuite d'une femme qui l'obsède et l'entraîne dans l'univers des rêves, annonce Alain-Fournier[2], le romancier, qui fait de l'introspection le sujet même de son œuvre, préfigure André Breton[3] et les Surréalistes.

2 *Le Grand Meaulnes*, cf. p. 98.
3. *Nadja*, cf. p. 112.

23. Madame Bovary[1], 1857

GUSTAVE FLAUBERT

La vie de Gustave Flaubert (1821-1880) est bouleversée par une crise sentimentale (1843-45) à la suite de laquelle il rejette son passé d'étudiant romantique et décide de se consacrer à une œuvre d'où il serait absent. Reclus dans sa maison de campagne de Croisset, il travaille pendant six ans avec cet « entêtement de bélier », qu'il prête à Charles Bovary, à l'histoire de cette jeune femme victime de son imagination : *Madame Bovary*. C'est, après les grandes visions de son voyage en Orient (1849), le retour aux sources, à la Normandie, aux bords de Seine, à Rouen...

1843-1845, La première *Éducation sentimentale*.

1857, *Madame Bovary*.
1862, *Salammbô*.

L'histoire apparente d'Emma Bovary ressemble à celle de tant de jeunes femmes qui cherchent à échapper à la vie rustique de province et s'imaginent que le meilleur moyen en est le mariage. Cette fille de paysan normand s'est laissé griser par la littérature et la musique romantiques. Elle a lu *Paul et Virginie*, les romans de Walter Scott ; elle attend de la vie qu'elle réalise ses rêves.

Et voici qu'elle épouse Charles Bovary, un médecin de campagne maladroit et médiocre : « Elle ne pouvait s'imaginer à présent que ce calme où elle vivait fût le bonheur qu'elle avait rêvé » (p. 46). Quels que soient les efforts que Charles fait pour la rendre heureuse, quittant le village de Tostes pour l'installer dans un bourg plus important, Yonville-l'Abbaye, peut-il rassasier cette affamée de bonheur et d'amour ? Pauvre Charles ! Sa conversation « était plate comme un trottoir de rue » (p. 48). Quant à la société qui les entoure, le pharmacien Homais en est le digne représentant : nulle, étriquée, conformiste.

Aussi Emma se jette-t-elle dans les bras du premier don Juan venu, Rodolphe, qui lui révèle au moins l'exaltation de l'adultère : « Elle entrait dans quelque chose de merveilleux où

1. Livre de Poche.

tout serait passion, extase, délire » (p. 192). Mais Rodolphe l'abandonne. Elle pense en mourir. Et ce n'est pas Léon Dupuis, un clerc de notaire qu'elle a connu autrefois et qu'elle retrouve, qui peut lui apporter un bonheur plein et durable : « N'importe : elle n'était pas heureuse, ne l'avait jamais été. D'où venait donc cette insuffisance de la vie, cette pourriture instantanée des choses où elle s'appuyait ?... » (p. 335).

Pour satisfaire ses goûts de luxe, elle emprunte, elle se ruine. Aux mains des usuriers, à la veille d'être saisie, « sa situation, telle qu'un abîme, se présenta » (p. 369). Elle s'empoisonne à l'arsenic et expire dans un éclat de rire « atroce, frénétique, désespéré ». Charles meurt en accusant la fatalité. L'enfant qu'ils ont eue, la petite Berthe, symbole de cette société de mutations industrielles, sera ouvrière en usine. Le pharmacien Homais reçoit la croix d'honneur : c'est la suffisance que l'on décore.

● **Un exercice de style :** derrière le labeur tourmenté de Flaubert pour polir chaque phrase, il y a la volonté de faire du langage la matière du roman. Émile Zola a dit ce que Flaubert avait fait du roman après Balzac : «Il l'a assujetti à des règles fixes d'observation, l'a débarrassé de l'enflure fausse des personnages, l'a changé en une œuvre d'art harmonique, impersonnelle, vivant de sa beauté propre ainsi qu'un beau marbre. »

● **Le bovarysme :** le roman fit scandale : attentat aux bonnes mœurs, anticléricalisme odieux, provinciale débauchée ! On ne voyait pas ce qu'il y avait de bouleversant dans cette quête du bonheur et ce suicide qui en marquait l'échec, celui de la passion autant que de la vertu. Le bovarysme, c'est la « naissance d'une âme factice, d'un aristocratisme de pacotille chez une jeune fille qui la gauchit, qui la façonne, qui la pervertit à son insu et la prépare à être insatisfaite, dédaigneuse, mijaurée devant les ternes et épaisses occupations de sa vie de femme » (Maurice Bardèche).

Opéra :   Emmanuel Bondeville, *Madame Bovary*.
Cinéma . Jean Renoir, *Madame Bovary* (1934) musique de
             Darius Milhaud.
             Vincente Minnelli, *Madame Bovary* (1949).

24. L'Éducation sentimentale[1], 1869

GUSTAVE FLAUBERT

Deux romans de Flaubert portent le même titre. La première *Éducation sentimentale,* œuvre de jeunesse, ne parut qu'en 1914. La seconde *Éducation sentimentale* est à la fois la confession d'un amour d'adolescence et un témoignage sur une génération qui avait moins de trente ans en 1848.

1869, La seconde *Éducation sentimentale.*

1874, *La Tentation de saint Antoine.*

1877, Trois contes :
– *Hérodias.*
– *La légende de saint Julien*
– *l'hospitalier.*
– *Un Cœur simple.*
1881, *Bouvard et Pécuchet.*

A seize ans, le regard d'une femme, Mme Schlésinger, avait séduit Flaubert. Et le souvenir de cet été 1836 baigne tout le roman. A bord de la *Ville-de-Montereau,* bateau à vapeur qui assure le trafic des voyageurs et des marchandises de Paris à Montereau, Frédéric Moreau, qui vient d'être reçu bachelier, rencontre Mme Arnoux : « Ce fut comme une apparition » (p. 7). Le premier regard scelle le destin de ce jeune homme intelligent, mais dépourvu de cette volonté qui mobilise un Julien Sorel ou un Rastignac. Frédéric s'abandonne facilement à des états qui le paralysent ; il se laisse enivrer par cette femme sans jamais le lui dire, au point qu'il en arrive parfois, dans le paroxysme de son amour impuissant, à vouloir se venger d'elle.

Le roman, d'une facture toute moderne, raconte par épisodes successifs le déclin des rêves de jeunesse, arrachés par lambeaux, l'illusion suprême de l'amour, qui se lézarde à son tour et s'écroule : « Il était encore plus lâche qu'autrefois. Chaque matin, il se jurait d'être hardi. Une invincible pudeur l'en empêchait » (p. 200). Les femmes qu'il connaît ne le consolent

1. Livre de Poche.

jamais de ses nostalgies passionnées et tristes. Chaque rencontre avec la femme inaccessible le fait un peu plus glisser vers le néant. Pendant vingt-sept années, ni lui, ni Mme Arnoux ne parviennent à l'aveu. Lorsque Mme Arnoux remet à Frédéric une mèche de ses cheveux devenus blancs, c'est trop tard : « Il y a un moment, dans les séparations, où la personne aimée n'est déjà plus avec vous » (p. 495). « Je n'ai jamais aimé qu'elle » (p. 481), avoue Frédéric.

● **Un roman-chronique :** le roman commence en 1840 (Frédéric a dix-huit ans), s'achève en 1867. La révolution de 1848 (p. 336 et suivantes) aurait pu donner à Frédéric sa chance : « Il faut des citoyens purs, des hommes entièrement neufs : quelqu'un se présente-t-il ? — Frédéric se leva » (p. 359). L'amour inavoué de Frédéric apparaît en contrepoint de cette vaste fresque historique qui s'étale sur un quart de siècle avec, en son centre, la monarchie de Juillet et les scènes de l'insurrection.

● **Une double vision de l'échec :** un homme voué à la médiocrité ; une génération qui s'est sentie condamnée, celle de 1848, que Maxime du Camp, l'ami de Flaubert, appelait la génération des *Forces perdues,* ultime agonie du mal du siècle.

● **La technique :** on a vu dans *l'Éducation sentimentale* un « nouveau roman » : un héros qui se refuse à entrer dans l'action, une intrigue conduite au gré des événements. L'écrivain américain Henry James disait de ce roman : « C'est un gigantesque ballon, fait de pièces de soie solidement cousues et gonflées avec patience, mais qui refuse absolument de quitter terre. » *L'Éducation sentimentale* était seulement un chef-d'œuvre en avance sur son temps.

Cinéma : Alexandre Astruc, *l'Éducation sentimentale* (1961).

25. Nouvelles[1], 1829 à 1869

PROSPER MÉRIMÉE

Avocat parisien, Prosper Mérimée (1803-1870) y débute dans les lettres par une mystification. Il donne comme traduit d'une comédienne espagnole le *Théâtre de Clara Gazul* (1825). Nommé inspecteur des monuments historiques, il a l'occasion pendant dix-huit ans de voyager. C'est au cours d'une mission archéologique en Corse qu'il en étudie les coutumes locales. Il avait effectué son premier voyage en Espagne en 1830.

1829,	*Mosaïque*[2]	**1840,**	*Colomba.*
1833,	*La double méprise.*	**1844,**	*Arsène Guillot.*
1834,	*Les Ames du purgatoire.*	**1845,**	*Carmen.*
1837,	*La Vénus d'Ille.*	**1846,**	*L'Abbé Aubain.*
		1869,	*Lokis.*

Mateo Falcone : un propriétaire corse, Mateo, abat d'un coup de fusil son fils Fortunato, âgé de dix ans, parce que l'enfant, tenté par une montre en argent que lui offre un adjudant, a indiqué aux carabiniers la cachette d'un bandit réfugié chez son père : « Sans jeter un coup d'œil sur le cadavre, Mateo reprit le chemin de la maison pour aller chercher une bêche afin d'enterrer son fils » (1, p. 33).

L'Enlèvement de la redoute : un lieutenant nouvellement promu participe à la prise d'une redoute russe qui est enlevée de vive force au prix d'un effroyable massacre ; à l'issue du combat, il assure le commandement, le colonel étant grièvement blessé : « F..., mon cher, mais la redoute est prise » (p. 48).

Le Vase étrusque : Auguste Saint-Clair, sur le point d'épouser une veuve, Mᵐᵉ de Coursy, apprend qu'elle aurait eu, du vivant de son mari, un amant, et qu'un vase étrusque qu'elle aurait reçu de lui en apportait la preuve. L'objet, que Saint-Clair a vu, semble accuser Mᵐᵉ de Coursy. Elle se disculpe en brisant le vase devant lui. Trop tard ! Saint-Clair a déjà provoqué en duel l'accusateur qui le tue.

La Vénus d'Ille : un amateur d'antiquités a découvert dans son jardin, à Ille, une Vénus antique de bronze. Son fils, le lendemain, jour de son mariage, glisse au doigt de la statue,

---

1. Livre de Poche, tomes 1 et 2.
2. *Mateo Falcone, Vision de Charles IX, L'enlèvement de la redoute, Tamango, La perle de Tolède, Le vase étrusque, La partie de trictrac.*

parce qu'il va jouer à la pelote basque, une bague en diamants qu'il destine à sa fiancée. Mais il ne peut ensuite retirer l'anneau : la Vénus plie le doigt ! Au matin, on le retrouve mort dans la chambre nuptiale : « On eût dit qu'il avait été étreint par un cercle de fer » (p. 309). Et sa jeune femme devient folle : « Du bizarre au merveilleux la transition est insensible et le lecteur se trouve en plein fantastique avant qu'il se soit aperçu que le monde réel est bien loin derrière lui » (Nicolas Gogol, 1851).

Colomba : Colomba oblige son frère Orso à venger leur père selon les vieilles lois corses de la vendetta. Attaqué par les deux frères Barricini, meurtriers présumés, Orso les tue, prend le maquis, mais est disculpé : « Il me les fallait tous les deux », dit Colomba au père Barricini. « Les rameaux sont coupés ; et si la souche n'était pas pourrie, je l'eusse arrachée » (p. 479).

Carmen : un brigadier basque, Don José, déserte pour l'amour d'une bohémienne, Carmen. Il se fait contrebandier, brigand, assassin. Mais affolé de voir qu'elle s'est éprise d'un picador, Lucas, il la tue dans une crise de jalousie.

Lokis : une comtesse lituanienne a eu le malheur d'être emportée par un ours au cours d'une chasse. Sauvée par son mari, elle est devenue folle ; mais elle donne naissance à un garçon charmant, quoique bizarre. En effet, le jour de ses noces, il dévore à moitié sa jeune femme...

● **L'art de la nouvelle :** Mérimée y excelle et porte le genre à son apogée. C'est à la fois un modèle de concision et de sobriété. L'économie des moyens et la limpidité du style n'excluent pas la violence des passions, la vigueur de la couleur locale ou le trouble du surnaturel. Le jeu de l'amour et de la mort, dans *Carmen*, est d'autant plus intense, d'autant plus vrai, que le tragique des passions est enfermé à l'étroit. L'histoire de Mateo Falcone paraît d'autant plus atroce que Mérimée reste détaché de son sujet. Ces contes farouches et ces vengeances obstinées sont l'œuvre d'un homme désenchanté et amer. Personne n'a atteint plus d'intensité dans la rigueur.

Opéra :   Georges Bizet, *Carmen*, 1875.
Cinéma : Christian-Jaque, *Carmen*, 1944.
         Carlos Saura, *Carmen*, 1983.
Comédie musicale :   *Carmen Jones,* 1954.

26. Les Diaboliques[1], 1874

BARBEY D'AUREVILLY

Jules Barbey d'Aurevilly, dont la vie s'étend sur une grande partie du XIXe siècle (1808-1889), est le contemporain des grands mouvements, romantique, symboliste et naturaliste, du XIXe siècle ; il réunit dans ses nouvelles et ses romans les tendances les plus diverses : il bride son imagination frénétique par un souci constant de vérité ; il modère ses extravagances par un contrôle de l'intelligence. Mais le réalisme de sa peinture des mœurs ne lui valut guère que des scandales.

1841, *L'Amour impossible.*	**1865,** *Un Prêtre marié.*
1854, *L'Ensorcelée.*	**1874,** *Les Diaboliques.*
1864, *Le Chevalier des Touches.*	**1883,** *Une Histoire sans nom.*

Le Rideau cramoisi : le vicomte de Brassard, traversant en voiture une ville endormie, reconnaît une fenêtre derrière laquelle brille une lumière tamisée par un rideau cramoisi. Il se revoit, jeune militaire de dix-sept ans qui logeait dans cette même maison. Il avait été frappé par l'impassibilité de la fille de ses hôtes, Alberte. Or, un soir, lui saisissant la main sous la table, elle l'avait provoqué « si diaboliquement » qu'il cherche comment *nouer une intrigue* avec elle. Une fois encore, elle prévient son désir, se rend dans sa chambre et se donne à lui avec une démence qui n'a d'égal que le mutisme qu'elle observe le lendemain. Une nuit, elle expire mystérieusement dans ses bras. Il n'a plus qu'à fuir.

Le plus bel amour de Don Juan : le comte de Ravila de Raviles s'éprend d'une fillette ténébreuse dont il a naguère séduit la mère : « Le meilleur régal du diable, lit-on en exergue, c'est une

---

1. Classiques Garnier.

innocence. » Mais l'enfant, se croyant enceinte, le confesse à un prêtre qui le rapporte à sa mère.

Le Bonheur dans le crime : encore une histoire qui semble dictée par le diable. Pour lui ravir son époux et son titre, une femme redoutable, mi-panthère, mi-amazone, empoisonne de sang-froid la comtesse de Savigny. Libres, unis, les deux amants peuvent rechercher « le bonheur dans le crime ».

Le dessous de cartes d'une partie de whist : la même froideur y préside à un double crime commis par une mystérieuse comtesse.

A un dîner d'Athées : une femme à visage d'ange, la Pudica, se révèle être, au cours d'une scène horrible, une ignoble créature.

La Vengeance d'une femme : un duc fait dévorer par ses chiens, sous les yeux de sa femme, le cœur d'un homme qu'il croyait être son amant. Comment s'exercera la vengeance de la malheureuse ? Elle se fera fille publique pour humilier son mari en donnant le spectacle d'une mort infamante.

● **Le diable** règne sur ces six nouvelles : Barbey d'Aurevilly explore six crises d'une âpreté qui fait mal, au cours desquelles il se complaît dans la description de l'épouvante et de l'horreur. Ce qui transparaît sous la description érotique des passions les plus excessives, c'est la cruauté qui gouverne la plupart des entreprises humaines.

Faut-il lire « diabolique » au féminin ? Les femmes sont, dans ces nouvelles, d'une beauté fascinante et inaccessible. Ce sont elles qui manipulent les hommes. Tout s'y consume en passions brèves et fulgurantes.

● **La mort** guette à chaque page : les personnages évoluent dans un monde nocturne où les forces de l'ombre triomphent des bons sentiments et de la volonté de vie.

Cinéma : Alexandre Astruc, *le Rideau cramoisi* (1953).

27. Boule de suif[1], 1880

GUY DE MAUPASSANT

Sur les quarante-trois années de la vie de Maupassant (1850-1893), une dizaine seulement auront été consacrées à écrire trois cents nouvelles et six romans. Ce filleul de Flaubert allait s'affirmer comme son disciple avant de rallier le cénacle qu'Émile Zola réunissait dans sa maison de Médan. D'un pessimisme tantôt amer, tantôt gaillard, passionné pour les choses vraies et simples, il supporte mal la vie et sombre dans la folie. Trente-huit ans après Nerval, deux ans après Van Gogh, il tente de se suicider et meurt dans une maison de santé sans avoir recouvré la raison.

1880, *Boule de suif.*	**1887,** *Mont-Oriol.*
1881, *La Maison Tellier.*	**1888,** *Pierre et Jean.*
1883, *Contes de la Bécasse.*	**1889,** *Fort comme la mort.*
1883, *Une Vie.*	**1890,** *Notre cœur.*
1885, *Bel-Ami.*	

Les Prussiens sont entrés dans Rouen. A la peur succède l'apaisement. Tandis qu'on pactise avec un envahisseur qui n'est pas si terrible que cela, les riches commerçants songent à leurs intérêts. Certains doivent gagner Le Havre ; une diligence est frétée dans laquelle prennent place trois couples, dignes représentants de la société de province : un opulent marchand de vin en gros, le propriétaire de trois filatures, un vieux gentilhomme orléaniste, assortis de leurs épouses. « Ces six personnages formaient le fond de la voiture, le côté de la société rentrée, sereine et forte, des honnêtes gens autorisés qui ont de la Religion et des principes. » Deux religieuses sont assises en face d'eux. Mais deux autres voyageurs font tache dans ce

---

1. On peut lire *Boule de suif* avec les autres nouvelles des *Soirées de Médan* (Livre de Poche) ou avec *la Maison Tellier* et d'autres Contes de Maupassant dans l'édition Folio. Il est impossible de citer ici tous les *Contes et Nouvelles* de Maupassant. Albin Michel en fournit une édition thématique.

tableau : c'est Cornudet, un ardent démocrate, et « Boule de suif », une prostituée notoire. C'est pourtant cette dernière qui, prévoyante, ouvrira largement à ses compagnons son panier à provisions.

Cependant, à l'étape, un officier prussien témoigne le désir de rencontrer Boule de suif, et comme celle-ci s'obstine à ne pas céder au caprice de l'ennemi, « on la pria, on la pressa, on la sermonna, et l'on finit par la convaincre ». Mais le lendemain, lorsque, grâce à son sacrifice accompli dans la répugnance, les voyageurs peuvent repartir, tous se détournent d'elle. On dévore les provisions sans rien lui offrir. Et comme elle éclate en sanglots, « elle pleure sa honte », murmure-t-on.

● **La note juste :** Maupassant s'était fait de la sobriété une loi. Ces quarante-huit pages en valent deux cents, et en disent davantage.

C'est l'éternelle histoire de la lâcheté, de l'ingratitude, de l'hypocrisie la plus révoltante. Un patriotisme populaire passe dans ces pages où l'intérêt individuel et égoïste l'emporte sur la solidarité.

● **L'amère vérité :** la prostituée au grand cœur, le commerçant avachi, le bourgeois suffisant, le noble décadent, le démocrate cocardier, les bigotes prudemment perdues dans leurs prières, sont pris ensemble dans une situation telle que les uns provoquent notre sympathie, les autres notre écœurement, sans réticences et sans équivoques. Quelle amertume dans la vérité !

Cinéma : Christian-Jaque, *Boule de suif* (1945).

28. L'Assommoir[1], 1876

ÉMILE ZOLA

Après une enfance modeste et des études médiocres à Aix, Émile Zola (1840-1902) publie à vingt-quatre ans son premier roman, les *Contes à Ninon* (1864). C'est après *Thérèse Raquin* (1867) qu'il conçoit le projet d'un cycle analogue à *la Comédie Humaine*. Vingt romans, publiés de 1871 à 1893, retracent « l'histoire naturelle d'une famille sous le Second Empire ».

Les Rougon-Macquart, Histoire naturelle et sociale d'une famille sous le Second Empire.
- **1871,** *La Fortune des Rougon.*
- **1871,** *La Curée.*
- **1873,** *Le Ventre de Paris.*
- **1874,** *La Conquête de Plassans.*
- **1875,** *La Faute de l'abbé Mouret.*
- **1876,** *Son Excellence Eugène Rougon.*
- **1876,** *L'Assommoir.*
- **1878,** *Une Page d'amour.*
- **1880,** *Nana.*
- **1882,** *Pot-Bouille.*
- **1883,** *Au Bonheur des Dames.*
- **1884,** *La Joie de vivre.*
- **1885,** *Germinal.*
- **1886,** *L'Œuvre*
- **1887,** *La Terre.*
- **1888,** *Le Rêve.*
- **1890,** *La Bête humaine.*
- **1891,** *L'Argent.*
- **1892,** *La Débâcle.*
- **1893,** *Le Docteur Pascal.*

La chance pourrait sourire à Gervaise Macquart et à Auguste Lantier quand ils arrivent de Plassans à Paris : mais ils sont pris au piège de la misère qui règne sur le quartier de la Goutte-d'Or où ils s'installent. Vite abandonnée par son amant, Gervaise se retrouve avec leurs deux enfants, Claude et Étienne, démunie, « prise d'une épouvante sourde, comme si la vie, désormais, allait tenir là, entre un abattoir et un hôpital » (p. 61). Elle s'engage comme blanchisseuse et épouse un ouvrier zingueur, Coupeau. Gervaise est jolie, malgré une légère claudication, mais elle est faible. Une fille naît, Nana. Hélas ! l'oisiveté consécutive à un accident de travail conduira trop souvent Coupeau à *l'Assommoir*, le cabaret du père Colombe. Il devient violent, bat les enfants. Pourtant Gervaise, toujours

[1] Garnier-Flammarion.

courageuse, et qui a l'ambition de s'élever dans la classe ouvrière, a loué une boutique de blanchisseuse et, jouissant de l'estime du quartier, se fait une clientèle.

Il lui arrivera de contempler ce quartier dans lequel elle vit et qui sera le théâtre de sa déchéance : « Les façades grises avec les loques des fenêtres séchant au soleil, la cour blafarde aux pavés défoncés de place publique, le ronflement du travail qui sortait des murs, lui causaient un tel trouble, une joie d'être enfin près de contenter son ambition, une peur de ne pas réussir et de se trouver écrasée dans cette lutte énorme contre la faim, dont elle entendait le souffle » (p. 149). A mesure que Coupeau sombre dans l'ivrognerie, elle s'endette, elle prend de l'embonpoint. Elle devient l'amie de Virginie, qui la trahira, et de Goujet qu'elle aime d'un « amour inavoué, d'une douceur d'amitié » (p. 208). Lantier réapparaît et, profitant de la faiblesse de Gervaise, s'installe au foyer des Coupeau. Gervaise est perdue. Entre son mari que guette le *delirium tremens*[2] et son amant qui la trompe avec Virginie et s'empare de sa boutique, elle s'abandonne à la crasse et à l'eau-de-vie, donnant à Nana, âgée de treize ans, le spectacle de la misère et de la débauche : « Au milieu de cette existence enragée par la misère, Gervaise souffrait encore des faims qu'elle entendait râler autour d'elle » (p. 337). Réduite à laver le plancher de son ancienne boutique, à mendier, à chercher sa nourriture dans les poubelles, prématurément vieillie, laide, hébétée par l'alcool, elle « meurt un peu de faim tous les jours » (p. 444) et « la mort devait la prendre petit à petit, morceau par morceau, en la traînant ainsi jusqu'au bout dans la sacrée existence qu'elle s'était faite » (p. 445) : on la retrouve morte sous un escalier où elle se terrait comme une bête.

● **La descendance de Gervaise :** Gervaise, née en 1828, est la fille d'une riche paysanne, Adélaïde Fouque et de son amant, Antoine Macquart. Elle appartient donc à la branche bâtarde de la famille *(la Fortune des Rougon)*. Sa mère est morte dans un asile d'aliénés ; son père était alcoolique. Cette double hérédité pèse sur ses enfants. Nana, à quinze ans, « devenait garce » (p. 360) : elle tombe dans l'hystérie et la déchéance à mesure

<hr>

2. Délire particulier aux alcooliques qui se traduit par des tremblements des membres

qu'elle venge sa caste en ruinant ses riches amants *(Nana)*. Étienne n'échappe à ses origines que par une action vengeresse contre la société, rêvant d'une hiérarchie où l'injustice serait intolérable *(Germinal)*. Claude, peintre, se suicide devant le tableau inachevé qui n'a pu, par un acte de création artistique, l'exorciser de ses hallucinations *(L'Œuvre)*. A ces Atrides du quartier de la Goutte-d'Or, il manquait un meurtrier. Entre *Une Page d'amour,* où paraît pour la première fois l'arbre généalogique des Rougon-Macquart, où il donne trois enfants à Gervaise, et *le Docteur Pascal* où il complète cet arbre, Zola invente Jacques Lantier, troisième fils de Gervaise, qui réalise la fusion père-mère, alcoolisme et névrose, par l'obsession du sang *(la Bête humaine)*. Avec lui s'éteint la dynastie des Macquart.

● **Le roman expérimental** : « Le romancier est fait d'un observateur et d'un expérimentateur. L'observateur, chez lui, donne les faits tels qu'il les a observés, pose le point de départ, établit le terrain solide sur lequel vont marcher les personnages et se développer les phénomènes. Puis l'expérimentateur paraît et institue l'expérience, je veux dire fait mouvoir les personnages dans une histoire particulière pour y montrer que la succession des faits y sera telle que l'exige le déterminisme des phénomènes mis à l'étude. » Dans ces lignes du *Roman expérimental* (I, 1) (1877), Zola expose ses théories. L'art se veut une science. Il s'agit de rejoindre la nature en s'aidant de l'optique, de la géométrie ou de la physiologie. C'est sous l'influence des savants contemporains[3] qu'il a conçu son cycle romanesque.

Dans *l'Assommoir,* il est *observateur* d'un milieu ouvrier urbain (fleuriste, blanchisseuse, couvreur, boulonnier). Tout le roman se déroule dans un seul quartier, une seule rue, une seule maison même dont la boutique de Gervaise est le cœur. Les descriptions sont d'une grande précision (cf. la fabrication des rivets, p. 185).

Il est *expérimentateur* parce qu'il lance ses personnages dans une histoire où ils sont pris dans le double engrenage de la

---

3. Docteur Lucas, *Traité philosophique et physiologique de l'hérédité naturelle* (1850); Darwin, *De l'origine des espèces* (1859); Claude Bernard, *Introduction à l'étude de la médecine expérimentale* (1865); Docteur Letourneau, *Physiologie des passions* (1868).

fatalité qui les a engendrés et des situations qui se succèdent. Il met à l'étude un phénomène particulier, l'alcoolisme, et laisse pratiquement glisser vers leur déclin les êtres qu'il a créés, Gervaise, Coupeau, Nana, avec une sorte de désespoir de l'auteur qui ne veut pas les sauver, qui ne peut pas les sauver, tant ils sont insérés dans une machine implacable qui les broie et que rien n'arrête.

● **Le roman parlé** : l'action semble alors perçue et exprimée par les personnages, soit au niveau des paroles qu'ils prononcent (et Zola utilise l'argot), soit par l'intermédiaire d'une sorte de dialogue intérieur qui ne fait qu'accroître l'intensité dramatique du roman. Ils s'observent, s'analysent eux-mêmes, se dissèquent et s'autopsient, pas assez intelligents, ou pas assez heureux, ou déjà trop environnés des brumes de l'alcool ou des chimères de la folie pour distinguer qu'ils sont les propres peintres de leur détresse et de leur dégradation. Le style de *l'Assommoir* est un style parlé, un style indirect libre que Zola se garde bien de systématiser. C'est l'une des grandes originalités de ce roman.

● **Un observateur** : Zola se rend dans les corons, descend dans les mines *(Germinal),* retrace les plans des grands magasins qui vont ruiner le petit commerce *(Au Bonheur des Dames),* donne à sa documentation minutieuse une dimension épique : l'accident de chemin de fer de *la Bête humaine,* la fête de Gervaise dans *l'Assommoir,* la charge de cavalerie dans *la Débâcle.* Il livre des faits à la sagacité du lecteur, il n'explicite aucun message. Il dénonce les tares de la société sans en chercher le remède. Il veut concilier ce qui paraît inconciliable, la science et la littérature, dans cette grande aventure du roman qui n'est qu'une tentative de rejoindre la vie par l'invention du langage.

Cinéma :   René Clément, *Gervaise* (1956).
La première adaptation cinématographique de *l'Assommoir* date de 1902, l'année même de la mort de Zola.

29. Vingt mille lieues sous les mers[1],

1869-1870

JULES VERNE

Ni la vie de Jules Verne (1828-1905) à Nantes, à Paris, à Amiens, — ni ses voyages en Écosse, aux États-Unis, en Méditerranée, en Scandinavie — ni cette passion de la mer qu'il n'a assouvie qu'à bord de bateaux de pêcheurs, ne livrent le secret d'un monde imaginaire qui continue d'enchanter les adultes autant que les enfants.

Quelques-uns des soixante-quatre romans qui constituent *les Voyages extraordinaires* font partie des œuvres les plus lues dans le monde entier et l'on voudrait les citer tous pour n'en oublier aucun. A chacun de faire son choix dans la Chronologie (p. 7 à 21[1]) qui de *Cinq Semaines en ballon* (1863) au *Secret de Wilhelm Storitz* propose toutes les évasions. Aujourd'hui que l'impossible de Jules Verne s'est réalisé, nous comprenons mieux encore cette imagination scientifique en quête d'une vérité supérieure.

Un navire ayant été heurté par un « écueil fuyant », une mission s'embarque pour rechercher le mystérieux narval qui menace les océans. Il s'avère bientôt que le monstre est fait de tôle et d'acier et c'est à bord d'un sous-marin que pénètrent le professeur Aronnax, son domestique Conseil et le harponneur canadien Ned Land. Prisonniers de « l'homme des eaux », le capitaine Nemo, dont le nom (Personne) est aussi éloquent que sa devise « Mobilis in mobile » (Mobile dans l'élément mobile), ils pressentent le formidable mystère qui l'entoure : « Non seulement il s'était mis en dehors des lois humaines, mais il s'était fait indépendant, libre dans la plus rigoureuse acception du mot, hors de toute atteinte » (p. 124). Auprès de lui, passagers forcés d'un périple qui les conduit sous les mers tout autour du monde, ils apprennent à connaître les secrets des océans : « La mer est tout !... C'est l'immense désert où l'homme n'est jamais seul, car il sent frémir la vie à ses côtés » (p. 130). Les

1. Garnier-Flammarion.

épisodes du voyage sont fabuleux : l'enterrement dans le cimetière de corail, la pêche des perles au large de Ceylan, la traversée de l'isthme de Suez à travers un tunnel, les houillères sous-marines, les trésors engloutis, les vestiges de l'Atlantide, la vision des icebergs renversés, la chasse aux baleines, le combat avec le poulpe géant. Cependant, lorsque le capitaine Nemo provoque délibérément le naufrage d'un navire, devant l'hécatombe des corps qui sombrent au milieu des épaves, le professeur Aronnax s'interroge sur cet homme dont il écrit l'histoire, « véritable archange de la haine » (p. 506).

● **Une trilogie maritime :** *Vingt mille lieues sous les mers* forme une trilogie qui commence avec *les Enfants du capitaine Grant* (1867) et s'achève avec *l'Ile mystérieuse* (1875), mais « les trois romans qui étaient indépendants ne se réunissent que pour trouver leur épilogue commun » (Ch.-N. Martin) : le prince Dakkar, alias Nemo, y livre le secret de sa haine du monde civilisé (sa famille a été massacrée lors de la grande révolte des Cipayes).

● **Les trois passions de Jules Verne :**
— **La musique,** représentée par cet orgue dont joue Nemo aux heures sombres, « véritables plaintes d'une âme qui veut briser ses liens terrestres » (p. 511).
— **La mer,** antithèse du monde, royaume de l'homme libre, en laquelle Jules Verne voit un « réservoir de la nature » qui alimentera « villes nautiques » et maisons sous-marines (p. 195).
— **La liberté :** Nemo, l'homme libre qui a choisi la mer, tenaillé entre la pitié et la haine, cherche si la vraie justice est dans le pardon ou la vengeance. Il meurt « d'avoir cru qu'on peut vivre seul », même libre.

● **La volonté :** il y a chez Jules Verne une dynamique de l'existence, de l'action soutenue par la Providence, et une volonté de maîtriser les secrets de l'univers, qui justifie ce qu'écrivait Ray Bradbury : « L'homme voyage pour connaître, et connaître, c'est survivre. »

Cinéma : Richard Fleischer, *Vingt mille lieues sous les mers* (1954).

4 La plongée intérieure

En 1880, le XIXᵉ siècle avait encore quelques-uns de ses chefs-d'œuvre à donner, tandis que des hommes du XXᵉ siècle avaient déjà fait leurs débuts littéraires : André Gide publie **les Cahiers d'André Walter** la même année qu'Émile Zola **l'Argent** : 1891. Mais on ne compare pas les époques, et les hommes ne s'inscrivent pas forcément dans les limites numériques des siècles. Les jeunes romanciers qui publient actuellement leur premier roman commencent déjà la génération du XXIᵉ siècle.

Jusqu'à nos jours, un courant traditionnel persiste : prose classique, intrigue équilibrée, conflit des sentiments, arbitraire des personnages. Quelquefois même, comme pour se donner des garanties, le romancier se crée des affinités et, comme Aragon ou Giono, recherche dans le passé une sorte de vérification du présent.

Mais le roman est un enfant terrible. Tandis que certains l'utilisent sans en discuter le principe (François Mauriac, Julien Green, H. de Montherlant), d'autres en révèlent l'artifice (André Gide). Avec André Breton, le roman fait une incursion du côté du Surréalisme, mais les Surréalistes, Aragon, Queneau ou Gracq, en reviendront à une forme moins engagée. Jean-Paul Sartre ou Albert Camus y verront un moyen d'illustrer concrètement l'abstraction de leurs idées philosophiques. Le langage offre une dimension supplémentaire à Céline, Vian. Après 1953, le « nouveau roman » cherche à détruire les données traditionnelles : pas d'intrigue, plus de héros.

Des influences étrangères apportent des tonalités nouvelles : Dostoïevski, Kafka, James Joyce. La psychanalyse, grâce à Freud, ouvre aux romanciers un champ illimité de recherches non plus fortuites, mais réfléchies. L'homme plonge en lui-même pour s'interroger sur son existence et sur sa condition.

A. D'UN SIÈCLE A L'AUTRE

S'il faut, parmi tous les noms qui surgissent, à la rencontre des XIXᵉ et XXᵉ siècles, n'en retenir que quelques-uns, comment ne pas commettre d'injustice ? L'un des romanciers les plus lus aura été Pierre Loti : cet extraordinaire engouement s'est converti en un dédain non moins excessif. Certains de ses romans **(Mon Frère Yves**, 1883) valent encore la peine d'être lus.

Maurice Barrès affirme le culte du Moi dans **Sous l'Œil des barbares** (1888) et **le Jardin de Bérénice** (1891). L'attachement à la terre, le sentiment national, le respect des racines familiales sont les thèmes mêlés de **Colette Baudoche** (1909) et **la Colline inspirée** (1913).

Anatole France s'intéresse à l'Histoire dans **les Dieux ont soif** (1912), à l'utopie satirique dans **l'Ile des Pingouins** (1908). De 1897 à 1901, il décrit dans un cycle de quatre romans, dont M. Bergeret est le héros sympathique, **l'Histoire contemporaine : l'Orme du Mail** (1897), **le Mannequin d'Osier** (1898), **l'Anneau d'Améthyste** (1899), **Monsieur Bergeret à Paris** (1901) font partie des grands romans français.

Au tournant du siècle, le charmant Alain-Fournier glisse l'aquarelle du **Grand Meaulnes** (cf. p. 98) dans cet atelier romanesque tout rempli de toiles de maîtres et de fresques sociales. Après lui, Marcel Proust entérine dans **A la recherche du temps perdu** (cf. p. 100) la décadence d'une société en voie de disparition et l'avènement d'un ordre nouveau. La guerre de Quatorze tourne la page sur un XIXᵉ siècle périmé.

---

1. Du même auteur, *Histoire de la littérature française au XXᵉ siècle* (Hatier, 1983)

30. Le Grand Meaulnes[1], 1913

ALAIN-FOURNIER

Toute la vie brève d'Alain-Fournier (1886-1914) se confond avec son unique roman. Il fut captif d'un seul rêve qui ne pouvait s'épancher que dans un chef-d'œuvre ou dans la mort. *Le Grand Meaulnes* est né de ces paysages de Sologne où il avait passé son enfance et vers lesquels, abandonnant une carrière navale, il n'avait pu s'empêcher de revenir. Le cours où Augustin Meaulnes prépare son brevet d'instituteur rappelle l'école où son père faisait la classe. Mais Alain-Fournier devait rencontrer deux hasards. Le premier, c'est une « belle jeune fille » à peine entrevue sur les marches du Grand-Palais et dont la quête allait l'obséder pendant huit années : lorsqu'il la revoit enfin, en 1913, le seul miracle qui soit né de sa souffrance, c'est que *le Grand Meaulnes* est écrit. Le second hasard, c'est, moins de deux mois après la déclaration de guerre, la mort au coin d'un bois.

A part trois lettres d'Augustin Meaulnes et le Journal qu'il a tenu dans son Cahier de devoirs mensuels, tout ce que nous savons de cette étrange histoire est rapporté par François, l'inséparable ami d'enfance, le camarade des bancs d'écolier et des escapades en forêt, le complice des rêves enfantins, des serments d'amitié et des secrets futiles ou tragiques.

Au hasard d'une fugue, Augustin Meaulnes a pénétré dans un domaine inconnu où se déroulait une fête d'enfants. Il y a rencontré une jeune fille, celle qui sera « la fée, la princesse et l'amour mystérieux de toute notre adolescence » (p. 206), Yvonne de Galais. Un coup de feu rompt brutalement le charme de ces réjouissances enchantées : Frantz, le frère d'Yvonne, a tenté de se suicider parce que sa fiancée, Valentine, en l'honneur de qui la fête était donnée, n'est pas venue.

1. Livre de Poche.

Meaulnes quitte le domaine et aura beaucoup de mal à le retrouver. Mais il finit par revoir Yvonne de Galais et l'épouse. Frantz, à la recherche de Valentine, charge Meaulnes, qui part pour Paris, de cette mission. Un jour, sur les quais, Meaulnes aperçoit une jeune fille. Il en tombe éperdument amoureux, mais, apprenant qu'elle n'est autre que Valentine, il s'en détourne à jamais. Il rentre au pays pour apprendre que sa femme est morte, confiant leur fillette à François.

● **Cristallisation du rêve** : à l'époque du *Grand Meaulnes,* le symbolisme finissant a des couleurs d'automne mélancolique. Claude Debussy vient de faire représenter à l'Opéra-Comique le *Pelléas et Mélisande* qu'il a composé sur un poème de Maurice Maeterlinck (1912). C'est le temps des contrées mystérieuses, des songes et des sortilèges, des amours pures comme les fontaines, des souvenirs à demi rêvés. C'est le dernier écho de Gérard de Nerval : « Telles sont les chimères qui charment et égarent au matin de la vie. J'ai essayé de les fixer sans beaucoup d'ordre, mais bien des cœurs me comprendront. Les illusions tombent l'une après l'autre, comme les écorces d'un fruit, et le fruit, c'est l'expérience [2]. » Alain-Fournier n'aura pas assez vécu pour que l'expérience *décristallise* cet amour impossible qui l'a tourmenté et envoûté jusqu'à ce qu'il l'emprisonne dans une œuvre.

● **Roman du souvenir :** à la lisière de l'imaginaire, de l'amitié, aux confins de l'amour, de ce *no man's land* trouble où les adolescents mêlent leurs sensations confuses, perçoivent le monde extérieur avec des regards intérieurs, *le Grand Meaulnes* décrit les derniers enchantements de l'enfance.

Cinéma : Jean-Gabriel Albicocco, *le Grand Meaulnes* (1967).

2. G. de Nerval, *Sylvie* (ch. XIV) (1853)

31. A la recherche du temps perdu[1],

1913-1927

MARCEL PROUST

D'une santé fragile, mais d'une vive intelligence, Marcel Proust (1871-1922) fut dès son enfance sensible aux souvenirs qui s'attachent aux lieux familiers. Après avoir renoncé à la carrière diplomatique, il se consacre aux Lettres à partir de 1892. Dès 1907, il conçoit le projet d'un vaste roman dont le premier volet, *Du côté de chez Swann,* paraît en 1913. La mort de sa mère, la solitude, la maladie, l'enferment de plus en plus lui-même. Il laisse mûrir jusqu'au terme de sa vie cette somme de souvenirs qu'est *A la recherche du temps perdu.* Il y retient, au fil des milliers de pages écrites dans la fièvre et le labeur, le temps qui passe et dont les photos jaunies ne préservent que les moments privilégiés.

1913, *Du côté de chez Swann.*
1919, *A l'Ombre des jeunes filles en fleurs.*
1920, *Le Côté de Guermantes.*
1922, *Sodome et Gomorrhe.*
1923, *La Prisonnière.*
1925, *Albertine disparue.*
1927, *Le Temps retrouvé.*

Tout au long des sept volumes de ce cycle romanesque, le Narrateur, c'est-à-dire Marcel Proust lui-même, cherche à élucider une vérité, *sa* vérité, telle qu'elle se révèle à lui rétrospectivement en remontant le cours du temps. Le guide de cette quête à rebours, c'est en effet la mémoire, mais une mémoire faite d'intuitions, d'affinités, de concordances, d'associations fortuites.

Le départ de cette recherche du temps perdu est célèbre : la saveur d'une petite madeleine trempée dans du thé fait tout d'un coup apparaître un souvenir d'enfance : « Certes, ce qui palpite ainsi au fond de moi, ce doit être l'image, le souvenir visuel, qui, lié à cette saveur, tente de la suivre jusqu'à moi » (p. 59-60).

Et voici que se reconstruit, morceau par morceau, tout son passé.

---

1. Folio.

Après s'être épris de Gilberte, la fille de Swann et d'Odette de Crécy *(Du côté de chez Swann),* le Narrateur fait la connaissance sur la plage de Balbec d'Albertine, qui l'éconduit. En même temps, il s'émancipe du monde familier de Combray, où il a passé son enfance entre sa famille et les Guermantes, seigneurs du lieu : Odette de Crécy, ancienne *cocotte*[2], lui fait connaître l'écrivain Bergotte, le diplomate Norpois, le médecin Cottard. Le baron de Charlus, frère du duc de Guermantes, fait son apparition, ainsi que son neveu, Robert de Saint-Loup *(A l'Ombre des jeunes filles en fleurs).* Introduit dans ce monde qu'il avait imaginé très fermé, Marcel côtoie, en marge de l'aristocratie, la duchesse Oriane, qu'il croit aimer, et Mme de Villeparisis. Le Narrateur retrouve Albertine et songe à l'épouser. La passion de Charlus pour un jeune musicien, Morel, justifie le titre : *Sodome et Gomorrhe*[3]. Marcel, de plus en plus tyrannique, emmène Albertine (Albert ?) à Paris et la retient prisonnière chez lui. Lassée de sa jalousie, la jeune femme s'enfuit, laissant Marcel désemparé. La mort accidentelle d'Albertine transforme le Narrateur : le monde change autour de lui. Robert de Saint-Loup épouse Gilberte, mais, comme son oncle Charlus, comme Marcel Proust lui-même, il cesse de lutter contre l'homosexualité qui est, dans ce roman, plus qu'un cas particulier de l'amour, une manière d'appréhender le monde et de percevoir le temps. Il meurt à la guerre *(Albertine disparue),* cette guerre qui sonne le glas d'une société aristocratique où une Mme Verdurin, veuve d'un roturier, peut épouser un cousin du duc de Guermantes. Désormais, le Narrateur monologue, survivant étonné d'une ère qui a sombré. Il songe à fixer pour l'éternité par l'œuvre d'art la fuite inéluctable du temps. Délivré par son effort de création, il se retrouve lui-même avec *le Temps retrouvé.*

---

2. Femme de mœurs légères.
3. Villes de Palestine qui, selon la Bible, furent détruites par le feu en raison de leur dépravation.

Un épisode peut être détaché de ce vaste ensemble : il s'agit d'*Un amour de Swann*[4].

Swann s'est épris d'Odette de Crécy, demi-mondaine futile. Ils se retrouvent souvent aux soirées musicales des Verdurin où Swann traque sans relâche certaine petite phrase musicale qu'il a jadis entendue : la sonate de Vinteuil (p. 250) sera comme le leitmotiv[5] de son amour pour Odette. Mais tandis qu'il entretient lui-même une liaison avec une jeune ouvrière, il ne tarde pas à s'apercevoir qu'Odette lui ment. Une visite impromptue à l'hôtel particulier qu'elle habite près de l'Arc de Triomphe, lui fait pressentir « tant de choses qu'elle ne voulait pas qu'il sût » (p. 334) ; le doute s'accroît avec les sous-entendus de leur entourage, »... phrases qui, aussitôt dans le cœur de Swann, passaient à l'état solide, s'y durcissaient comme une incrustation, le déchiraient... » (p. 374). Il fait avouer à Odette ses infidélités. Au cours d'une soirée, il cherche à se délivrer des sentiments maladifs qu'il éprouve pour Odette en faisant appel à la plus cruelle lucidité : « Dire que j'ai gâché des années de ma vie, que j'ai voulu mourir, que j'ai eu mon plus grand amour, pour une femme qui ne me plaisait pas, qui n'était pas mon genre ! » (p. 450).

● **Le temps qui abolit :** tandis que le Temps s'écoule comme à travers un sablier, l'homme se désagrège comme le petit tas de sable. La dissolution des *moi* successifs est perçue comme une mort continue contre laquelle il faut lutter par une prise de conscience de soi-même, l'intuition de l'intégrité de sa propre existence.

Nous ne sommes pas portés par le Temps ; il est incorporé en nous ; il nous façonne et en remonter le cours, c'est chercher à travers les images multiples de nous-même qui se sont succédé l'image unique, absolue, inaltérable.

---

4. *Du côté de chez Swann,* p. 225-450.
5. « Ce terme (motif conducteur) désigne un motif mélodique, harmonique ou rythmique, dont les apparitions, au cours d'un ouvrage musical, font surgir le souvenir d'une idée, d'une situation, d'un personnage, liés à sa première apparition » (cf. Wagner) *(Dictionnaire de Musique,* éditions du Seuil, 1961).

● **La mémoire qui restaure :** des sensations furtives *(la petite madeleine :* « ... à l'instant même où la gorgée mêlée de miettes de gâteau toucha mon palais, je tressaillis » : *la sonate de Vinteuil :* «... il reconnut, secrète, bruissante et divisée, la phrase aérienne et odorante qu'il aimait ») sont autant de filets qui captent le passé. La mémoire volontaire s'efface devant cette autre mémoire qui agit sournoisement et à l'insu du narrateur : la mémoire involontaire.

Des pans entiers du passé se dévoilent : Marcel Proust n'a-t-il pas choisi comme matière même de son œuvre le mobile profond de toute création par l'art, le désir de durer, la lutte de l'Esprit sur la fuite du Temps ?

● **La recherche de soi :** il ne s'agit plus, à la manière de Balzac ou de Zola, de proposer une reconstruction littéraire de la société, mais de raconter l'itinéraire d'un seul homme à la recherche de lui-même *en lui-même.*

Or la vérité est disparate, indéfinissable ; le cœur a ses « intermittences », les périodes d'oubli succèdent aux éblouissements du souvenir.

Dans ce monde de personnages ressuscités par la mémoire, c'est le drame de l'auteur qui nous est raconté. Le moraliste qui, par ses analyses du temps, de la mémoire, du sommeil et du rêve, de la jalousie, part à la recherche de lui-même et de son époque, découvre un homme douloureux, amer, attentif à sa propre dérive.

Ballet : Roland Petit, *les Intermittences du cœur* (1982).
Cinéma : Le projet abandonné par Luchino Visconti est repris par Volker Schlöndorff, *Un amour de Swann* (1983).

B. LA GRANDE GÉNÉRATION

Entre les deux guerres mondiales s'épanouit une génération de romanciers moins attachés aux révolutions techniques du genre qu'à l'expression de leur époque.

Au premier plan, peut-être, vient un homme dont l'œuvre de théâtre a éclipsé les romans : Jean Giraudoux, après quelques essais juvéniles, a laissé une œuvre romanesque brillante. Après **Simon le Pathétique** (1918), il donne en 1921 avec **Suzanne et le Pacifique** un Robinson femelle, qui, dans son île, abdique la civilisation pour laisser entrer le rêve et la fantaisie. Dans **Siegfried et le Limousin** (1922), il envisage un rapprochement franco-allemand. **Juliette au pays des hommes** (1924), **Bella** (1927), **le Combat avec l'ange** (1934), sont le fruit d'une intelligence assez exceptionnelle.

On ne peut dissocier les romans de Jean Cocteau (1923, **Thomas l'imposteur** ; 1929, **les Enfants terribles**) de ceux de Raymond Radiguet (1923, **le Diable au corps** ; 1924, **le Bal du comte d'Orgel**) parce qu'ils furent parfois écrits côte à côte. Une mort prématurée interrompt la carrière de Radiguet.

Les romans de Georges Bernanos (1926, **Sous le soleil de Satan** ; 1927, **l'Imposture** ; 1929, **la Joie** ; 1937, **la Nouvelle Histoire de Mouchette** ; 1938, **les Grands Cimetières sous la lune** ; 1946, **M. Ouine**) sont dominés par le **Journal d'un curé de campagne** (1936) (cf. p. 153) et ce christianisme héroïque et brûlant qui répand sur le monde un souffle de justice de charité.

Pierre Drieu La Rochelle (1925, **l'Homme couvert de femmes**), Julien Green (1927, **Adrienne Mesurat**) ou Antoine de Saint-Exupéry (1931, **Vol de nuit**) appartiennent à cette génération prodigue de l'entre-deux-guerres.

L'étiquette de « roman-fleuve », inventée par André Maurois, s'applique bien aux dix volumes qui constituent l'histoire de **Jean-Christophe** (1890-1912) de Romain Rolland : c'est la vie d'un compositeur, nouveau Beethoven, qui délivre un message « aux âmes libres de toutes les nations qui souffrent, qui luttent et qui vaincront ».

Avec **les Thibault**, Roger Martin du Gard donne de 1922 à 1940 une chronique bourgeoise dont les héros, deux frères,

Antoine et Jacques Thibault, assistent au fil des huit romans du cycle à la faillite de leur caste familiale. Georges Duhamel apporte plus de variété dans la description de la famille qui fait l'objet de **la Chronique des Pasquier** (1932-1945) : la figure d'une grande musicienne, Cécile, domine ce panorama d'espoirs et d'abandons, d'idylles et de chagrins, d'une grande humanité. Jules Romains a entrepris en 1932 l'œuvre gigantesque qui consistait à dépeindre **les Hommes de bonne volonté :** vingt-sept volumes, dix mille pages... le roman-fleuve y atteint ses dimensions extrêmes dans la peinture quasi balzacienne de l'Europe avant la seconde guerre mondiale.

Parmi les romans que nous avons retenus pour la décennie 1926-1936, **Nadja** (cf. p. 112) fait exception, car c'est l'expérimentation sans lendemain du surréalisme dans le domaine du roman. Entre Gide (cf. p. 106) et Mauriac (cf. p. 108), tourmentés par les séquelles de leur éducation, d'une part, et, d'autre part, Céline (cf. p. 114) et Malraux (cf. p. 116), qui cherchent une issue à l'angoisse de la condition humaine, Colette (cf. p. 110) veut rassurer : elle résout l'angoisse de sa condition de femme par le renoncement à l'homme et par la passion des bêtes et de la nature.

Jusqu'ici, le roman avait été, malgré des exceptions comme Mme de Lafayette, Mme de Staël ou George Sand par exemple, presque exclusivement le domaine des hommes. L'orgueil du romancier devant les femmes, tel que le dépeint Montherlant dans **les Jeunes Filles** (cf. p. 118), affirme une dernière fois ce privilège. Après Colette, on assiste à l'essor d'une génération de femmes de lettres qui osent dire leur nom : Simone de Beauvoir, Elsa Triolet, Nathalie Sarraute, Marguerite Duras et, bien sûr, Marguerite Yourcenar (cf. p. 136).

32. Les Faux-Monnayeurs[1], 1926

ANDRÉ GIDE

André Gide (1869-1951) a porté en lui une révolte contre la cellule familiale, qui lui paraissait vraiment une geôle, et l'éducation protestante, dont toute son enfance avait été victime. Son œuvre littéraire est une tentative d'émancipation, le combat et la confession d'un homme qui n'est pas allé dans sa vie jusqu'au bout de lui-même.

Il a porté *les Faux-Monnayeurs* en lui de 1919 à 1925. On a dit que c'était un roman « raté » : sans doute l'a-t-il voulu ainsi, car il y tourne en dérision les romans réussis.

1902, *L'Immoraliste*.	**1914**, *Les Caves du Vatican*.
1908, *La Porte étroite*.	**1919**, *La Symphonie pastorale*.
1911, *Isabelle*.	**1926**, *Les Faux-Monnayeurs*.

Ce qui arrive, dans *les Faux-Monnayeurs,* est particulièrement compliqué. Plusieurs personnages, issus de six familles différentes, sont les anti-héros de ce roman : en effet, aucun personnage n'est jamais privilégié, aucun ne joue le rôle du « héros » ; ils se contentent de coexister. On pourrait être tenté de faire éclater l'action autour de Bernard et de son séduisant ami Olivier, que lie une affection très particulière. Mais voici que se manifestent les deux frères d'Olivier. L'un, Georges, est surpris au moment où il vole un livre chez un bouquiniste par un certain Édouard, qui s'avère être son oncle ; l'autre, Vincent, s'abandonne à la perverse Lady Griffith. Un riche dilettante aux mœurs troubles, son ami Strouvilhou, et le cousin de ce dernier, Ghéridanisol, sont les mauvais génies de tous.

L'action, si action il y a, semble parfois se concentrer sur Édouard, romancier qui est justement en train d'écrire un roman intitulé *les Faux-Monnayeurs,* et dont le Journal prend souvent le relais de la narration proprement dite. Deux jeunes femmes, Laura, délaissée par Vincent, et Sarah, sa sœur, sont

1. Folio.

prises dans un imbroglio sentimental avec tous les garçons. Leur père, le pasteur Vedel, dirige une école où les jeunes gens sont demi-pensionnaires. Un enfant, Boris, poussé par ses camarades, se fait sauter la cervelle en pleine classe et achève sur un fait divers équivoque aussi tragique que gratuit des aventures qui pourraient être continuées...

• **Un roman sans sujet :** l'absence de tout nœud romanesque égare le lecteur : « Ainsi l'auteur imprévoyant s'arrête un instant, reprend son souffle, et se demande avec inquiétude où va le mener le récit » (p. 215). Sans cesse, le romancier, par la voix d'Édouard, s'explique sur sa conception du roman : « X... soutient que le bon romancier doit, avant de commencer son livre, savoir comment ce livre finira. Pour moi, qui laisse aller le mien à l'aventure, je considère que la vie ne nous propose jamais rien qui, tout autant qu'un aboutissement, ne puisse être considéré comme un nouveau point de départ » (p. 322). Ce qui se passe semble en train d'arriver au fur et à mesure que nous lisons[2].

• **Familles, je vous hais :** Bernard est un enfant naturel : déraciné, exclu, exilé dans son angoisse. Cependant, il préfigure le conquérant de Malraux, l'existant de Sartre, l'étranger de Camus, le hussard de Giono : « L'avenir appartient aux bâtards... Seul le bâtard a droit au naturel[3] » (p. 113). Ce qui explique le célèbre « Familles, je vous hais » des *Nourritures terrestres*[4]. Tandis que Maurice Barrès préconise d'« être ce que furent nos pères », André Gide trace une morale séduisante de l'émancipation qui marqua profondément la jeunesse au lendemain de la Seconde Guerre mondiale.

2. Cf. Diderot, p. 51.
3. Cf. note 1, p. 120 (explication du titre).
4. Gallimard, p. 74.

33. Thérèse Desqueyroux[1], 1927

FRANÇOIS MAURIAC

Les conflits engendrés chez François Mauriac (1885-1970) par une éducation chrétienne et conformiste ont éclaté dans son œuvre romanesque. Ses études catholiques l'avaient mené du lycée à la Faculté des Lettres, puis à l'École des Chartes. Ses préférences allaient à *Racine* (1928) et à *Pascal* (1931). Mais c'est par le roman qu'il libère, de 1923 à 1927, une sensualité refoulée par le système éducatif et la religion. Il peint ces natures tourmentées, dans les demeures landaises de son enfance, oppressées par les orages d'été, et en marche vers quelque chose. un exil hors d'elles-mêmes, Dieu.

Au cours du voyage qui la ramène chez elle, à Argelouse, dans la forêt landaise, Thérèse, qui vient d'être jugée pour avoir tenté d'empoisonner son mari, effectue une lente remontée en elle-même : elle cherche moins les raisons de l'acte qu'elle a commis que la justification de sa vie propre. Tandis que son père ne s'inquiète que des répercussions du procès de sa fille sur sa propre carrière, tandis que son mari, Bernard, qui appartient « à la race aveugle, à la race implacable des simples » (p. 38), et sa tante Clara, ferment les yeux à condition que les apparences soient sauves, Thérèse se sent de plus en plus étrangère : « Être sans famille[2] ! Ne laisser qu'à son cœur le soin de choisir *les siens* - non selon le sang, mais selon l'esprit, et selon la chair aussi... » (p. 150). Comment a-t-elle été conduite à augmenter les doses d'arsenic prescrites par le médecin à son mari ? Même

---

1. Livre de Poche.
2. Cf. p. 120.

quand elle tentera, à la fin du roman, de l'expliquer à Bernard, il ricanera, sceptique : c'est ainsi qu'on lui a toujours refusé le droit à *sa* vérité.

Sans doute a-t-elle envié à son amie d'enfance, Anne de la Trave, l'amour d'un être d'exception, Jean Azevedo. Et que dire de ces étés du Sud-Ouest, au cours desquels elle éprouvait une aspiration vers la pureté, et auxquels succédait la sourde oppression de la maison landaise où régnait un époux trop bon, trop médiocre, trop égoïste ? Et la voici en face de lui ; au non-lieu de la justice, il répond par le verdict de la société : Thérèse sera recluse dans sa chambre. C'est au cours de cette séquestration qu'elle effectue le dernier cheminement en elle-même : « Comme si ce n'eût pas été assez des pins innombrables, la pluie ininterrompue multipliait autour de la sombre maison ses millions de barreaux mouvants » (p. 104). A l'étouffement d'une vie confortable, mais hypocrite, elle préférera la révolte et l'évasion : vagabonde dans les rues de Paris, elle est enfin sortie des autres et d'elle-même.

● **La technique du roman :** elle est tout à fait remarquable. Ce n'est qu'au chapitre IX (p. 119) que Thérèse rejoint son destin. Au cours des étapes du voyage, elle s'évade à rebours dans une sorte d'introspection freudienne. Mauriac ménage l'intérêt policier en retardant le moment de la révélation.

● **Symbole conflictuel du Bien et du Mal :** le personnage de Thérèse Desqueyroux a obsédé Mauriac au point qu'elle reparaîtra dans plusieurs ouvrages, notamment dans *la Fin de la nuit* où elle se sacrifie pour sa fille Marie et se rachète. Thérèse est aussi une femme qui s'émancipe. Peut-être, comme Emma Bovary, a-t-elle été trop romanesque ?

Cinéma : Georges Franju, *Thérèse Desqueyroux* (1962).

34. La Naissance du jour, 1928

COLETTE

« Je voudrais dire, dire, dire tout ce que je sais, tout ce que je pense, tout ce que je devine, tout ce qui m'enchante et me blesse et m'étonne » : ainsi s'exprimait Colette (1873-1954) dans les premières pages des *Vrilles de la vigne* (1908). Pareille au rossignol pris dans les vrilles de la vigne et qui pousse son premier chant effrayé et naïf, Colette a fui certaines entraves, jetant tout haut une plainte qui lui révélait sa voix. Au cœur de sa vie, la cinquantaine déjà dépassée, elle se libère du dernier lien pour mieux goûter *la Naissance du jour*. Ses romans se situent dans cette frange où l'autobiographie est en train de se transmuer en fiction.

1900-1903, *Claudine* (4 volumes).	**1922**, *La Maison de Claudine*.
1904, *Douze Dialogues de Bêtes*.	**1923**, *Le Blé en Herbe*.
	1926 *La Fin de Chéri*.
1907, *La Retraite sentimentale*.	**1928**, *La Naissance du jour*.
1909, *L'Ingénue Libertine*.	**1930**, *Sido*.
1911, *La Vagabonde*.	**1933**, *La Chatte*.
1920, *Chéri*.	**1941**, *Julie de Carneilhan*.
	1949, *Le Fanal bleu*.

Colette s'est installée en Provence, à soixante kilomètres de la maison de son père et de ses grands-parents : «Est-ce ma dernière maison ?» se demande-t-elle. Est-ce sa dernière saison ? Au bas du jardin s'étend la Méditerranée, bleue et dure, plus douce vers le soir. Relisant les lettres de sa mère, Sido, Colette en applique la sagesse à sa propre existence. Elle a atteint l'automne, l'âge des vendanges, un âge «où il n'est plus donné à une femme que de s'enrichir» : «Une es grandes banalités de l'existence, l'amour, se retire de la mienne. » A l'heure qu'elle s'est fixée pour la retraite et le renoncement, semblable au chat, elle délimite son territoire. Voici la chatte familière qui le partage avec elle. «Tout le reste est silence, fidélité, chocs d'âme, ombre d'une forme d'azur sur le papier bleu qui recueille tout ce que j'écris, passage muet des pattes mouillées d'argent. » Et voici la nuit complice : « Que la nuit est belle, encore une fois ! Qu'il fait bon, du sein d'une telle nuit, considérer gravement ce qui n'a plus de gravité ! »

Un dernier remous tente de troubler cette sérénité. Un jeune décorateur, Valère Vial, qui habite à trois cents mètres, s'est épris d'elle. Mais Hélène Clément, qu'il a naguère repoussée, révèle au cours de ses visites à Colette sa jalousie. Autant par sagesse que par générosité, Colette interrompt cette brève liaison et congédie Vial : « Il descendra prendre sa place dans des profondeurs où l'amour, superficielle écume, n'a pas toujours accès. » Désormais, elle peut se consacrer aux mystères de son jardin et aux merveilles du monde animal, pareille à sa mère qui voulait pour la dernière fois surprendre son cactus rose en train de fleurir. Elle épie la naissance du jour.

● **Une vie intérieure :** Colette, l'adolescente qui s'émancipe, la *garçonne* d'avant-garde, riche de tous ses rêves et de sa sensualité, aura su communiquer l'instinct féminin. Par son dédain des contraintes sociales, son goût des tâches simples et son amour des bêtes et des plantes, elle a donné la préférence à l'enrichissement intérieur.

● **L'écriture :** à la sûreté de l'instinct correspond une perfection d'écriture qui paraît spontanée. On dirait que le temps d'élaboration entre la sensation et l'expression est supprimé. Mais ne confie-t-elle pas, dans *la Naissance du jour*, qu'il est très difficile d'écrire ?

Elle possède un style admirable et crée des images superbes. Ce sont « les pivoines échevelées de plumes », « les sabres d'un cactus », « les grands plumages pleureurs des mimosas », « l'aube rouge sur les tamaris mouillés de rosée saline » et « une longue jonque de nuages, teinte de violet épais et sanguin, amarrée au ras de l'horizon, retardait seule le premier feu de l'aurore »...

Cinéma :   Jacques Demy, *la Naissance du jour* (1980).

35. Nadja[1], 1928

ANDRÉ BRETON

Chez André Breton (1896-1966), fondateur du mouvement surréaliste, le théoricien et le poète se confondent constamment. La publication de *Nadja* en 1928 suit de très près le premier *Manifeste du surréalisme* (1924) dans lequel Breton expose en particulier ses idées sur le roman avant de les mettre en pratique dans le sien. Il cherchait alors avec ses compagnons un moyen d'investigation qui leur permettrait d'explorer l'inconscient, le rêve, l'inaccessible. Aussi les formes traditionnelles sont-elles condamnées. Breton se souvient qu'affecté après la guerre dans des services neuro-psychiatriques (il avait commencé des études de médecine), il s'était initié aux travaux de Freud. Et il entreprend consciemment ce que Nerval avait accompli dans la folie : il laisse parler sa pensée.

Il n'y a dans *Nadja* d'autre intrigue que celle de la vie qui se déroule dans un Paris où l'auteur est en quête du hasard qui changera sa vie. Il fait la connaissance rue Lafayette d'une jeune femme pauvrement vêtue et curieusement fardée. Leur aventure est ponctuée de rencontres parfois voulues, parfois fortuites . « Je cours, au hasard, dans une des trois directions qu'elle a pu prendre. C'est elle, en effet... » (p. 104). Nadja, dont le nom commence comme « espoir » en russe[2], « mais n'en est que le commencement », entraîne André Breton dans une seconde réalité aux portes du rêve. Hors de toute organisation romanesque, il laisse Nadja exister, portée par les faits qui l'entraînent, « âme errante », âme venue de l'au-delà et qui a du mal à demeurer dans cette frange étroite qui est celle d'un état de veille. Chaque jour, elle est plongée plus profondément dans une sorte de sommeil hypnotique qui la conduira à la folie.

---

1. Folio.
2. надéжда , diminutif qui signifie *espoir,* a donné Nadège, Nadia, Nadine. Cf. Véra (la foi), Sophia ou Sonia (la sagesse). D'où l'écho oriental : nom de voyantes extra-lucides.

● **Le surréel :** chez Nerval (cf. p. 78) s'opère une fusion du souvenir (la rencontre de Jenny Colon) et du rêve (la quête d'Aurélia) ; Alain-Fournier (cf. p. 98) transpose une circonstance réelle dans l'univers imaginaire du roman ; André Breton enrichit la réalité de l'expérience vécue d'une réalité seconde que libère l'automatisme de l'écriture : la *sur-réalité*.

● **L'expression d'un état émotionnel :** « La vie est autre que ce qu'on écrit » (p. 81) : c'est encore une fois le principe du passage de la vie dans le roman qui se pose. Aux descriptions, André Breton substitue des photos, instantanés figés. Observateur quasi scientifique de la réalité, il se contente de dire ce qu'il voit, de laisser sourdre du fond de sa conscience ce qu'il conçoit à peine.

● **Ne s'agirait-il que d'une expérimentation littéraire ?** L'irruption d'une magie, d'un « merveilleux » qui devient le moteur de l'action, défie la logique, la concertation, la complicité du romancier. *Nadja*, c'est la conciliation latente et éphémère du réel et du rêve : « Il peut y avoir de ces fausses annonciations, de ces grâces d'un jour, véritables casse-cou de l'âme, abîme, abîme où s'est rejeté l'oiseau splendidement triste de la divination » (p. 103). C'est par le « pris sur le vif » que Breton essaie de retenir l'éternité de l'instant.

● **Un cas unique :** l'expérience de *Nadja* sera sans lendemain. Des compagnons de Breton ou de ses disciples, Aragon, Queneau, Gracq, aucun ne persévérera dans cette voie. Mais *Nadja*, autant que les autres contestations du roman conventionnel, aura contribué à libérer le genre de ses tabous et à préparer d'autres mutineries.

Cinéma : Éric Rohmer, *Nadja* (1973).

36. Voyage au bout de la nuit[1], 1932

LOUIS-FERDINAND CÉLINE

Louis-Ferdinand Destouches dit Céline (1894-1961), grièvement blessé à la guerre de 14, en restera marqué toute sa vie. Reçu docteur en médecine en 1924, il exerce dans les quartiers pauvres de la banlieue parisienne. Il y côtoie la misère et l'alcoolisme. Témoin des crises de l'entre-deux-guerres, il en est le peintre réaliste et satirique. Défaitiste avant 40, il se rallie à Vichy et doit fuir : il se fera le chroniqueur de ces nouvelles années sombres.

Ferdinand Bardamu raconte sa vie qui ressemble à celle de Céline. Engagé dans la cavalerie en 1914, projeté dans un conflit auquel il se sent étranger (« Je ne leur avais rien fait aux Allemands », p. 21), il est entraîné dans les horreurs de la guerre. De peur (« On faisait queue pour aller crever », p. 44), sa raison s'ébranle, mais l'instinct de survie le sauve.

Guéri, réformé, il songe à l'Afrique : « Plus ça sera loin, mieux ça vaudra » (p. 147). Et l'Afrique ne vaut pas mieux que la guerre. Il y découvre d'autres misères, d'autres tyrannies : « Les indigènes eux ne fonctionnent guère en somme qu'à coups de trique, ils gardent cette dignité, tandis que les blancs, perfectionnés par l'instruction publique, ils marchent tout seuls » (p. 183). Envoyé dans une *factorerie*[2] de la brousse, il se fait voler l'argent de la compagnie qui l'emploie et se voit contraint de fuir.

---

1. Folio.
2. Au temps des colonies, comptoir d'un établissement commercial.

A bord d'une galère espagnole, il se retrouve en Amérique ! A Detroit, il est embauché à la chaîne chez Ford et rencontre une prostituée au grand cœur, Molly, qu'il quitte en éprouvant la seule vraie peine de toute sa vie.

Le voilà de retour à Paris. Il y retrouve cette banlieue dont il avait eu parfois la nostalgie, et ce parler des humbles qu'il aime parce qu'il se sent pareil à eux. Devenu médecin, il s'installe à La Garenne-Rancy, visitant ces banlieusards qui ont économisé toute leur vie pour acheter leur petit pavillon et qui trompent leur ennui le samedi soir à la fête foraine. Les hôpitaux qu'il a vus partout, à la guerre, en Afrique, ne lui parlent que de mal et de mort. Il s'enfonce avec les hommes, les bêtes, la ville et les choses dans cette nuit au bout de laquelle « il suffit de fermer les yeux... ».

● **Un réquisitoire social véhément :** lorsqu'il parut, le roman fit scandale, à la fois par la verdeur du langage et la violence de la révolte. C'est un catalogue des maux qu'a traversés une génération qui avait vingt ans en Quatorze. Le style parlé convient admirablement, jusque dans ses barbarismes et ses impropriétés, à l'épopée de Bardamu : l'absurdité de la guerre, la cruauté des hôpitaux, les crimes du colonialisme, le servage industrialisé, ne rencontrent qu'une seule fois l'espoir d'une rédemption : Molly : « Tout de même, j'ai défendu mon âme jusqu'à présent et si la mort, demain, venait me prendre, je ne serais, j'en suis certain, jamais tout à fait aussi froid, vilain, aussi lourd que les autres, tant de gentillesse et de rêve Molly m'a fait cadeau... » (p. 301).

● **L'argot :** au XIXᵉ siècle, dans leurs romans « sociaux », Hugo ou Zola avaient fait entrer l'argot en littérature. Chez Céline, la langue populaire, livrée telle quelle, devient la matière même de l'œuvre.

37. La Condition humaine[1], 1933

ANDRÉ MALRAUX

André Malraux (1901-1976) est mêlé à tous les remous politiques de son époque : de 1924 à 1927, diplômé de l'École Nationale des Langues Orientales et envoyé au Cambodge en mission archéologique, il se rend en Chine en pleine guerre civile et fait l'expérience de l'Asie. En 1936, il organise et commande l'aviation étrangère au service du gouvernement républicain espagnol. Mobilisé en 1939, blessé en 1940, prisonnier, évadé, il entre tardivement dans la Résistance. L'action est le sujet de ses romans. Mais, obsédé par l'idée de l'absurdité et de l'anéantissement de l'homme, il cherche dans l'art une permanence que les métamorphoses du monde lui refusaient. De 1958 à 1969, il travaille comme ministre du Général de Gaulle à la rénovation et à la propagation de la culture.

1928, *Les Conquérants.*	**1951,** *Les Voix du silence.*[2]
1930, *La Voie royale.*	**1952,** *Le Musée imaginaire.*
1933, *La Condition humaine.*	**1957,** *La Métamorphose des*
1937, *L'Espoir.*	*dieux.*
1943, *Les Noyers de l'Alten-*	**1967,** *Antimémoires.*
burg.	

Pour comprendre *la Condition humaine*, il faut se remémorer les débuts de la république chinoise de 1911 à 1927. Au lendemain des inondations catastrophiques du Yang Tsé Kiang ou Fleuve Bleu (1908) et des mauvaises récoltes de 1911 s'était fondé le Kouo-min-tang, parti d'intellectuels favorables à l'instauration d'une jeune république et d'une prise d'indépendance à l'égard des puissances occidentales. La dynastie abdique, la République est proclamée (1911-1912). Cependant les Seigneurs du Nord répriment à Shanghai en 1926 une première émeute des communistes. Ceux-ci, alliés au général Chang-Kaï-Chek, s'emparent de Han Kéou, Nankin et Shanghai où de nouvelles émeutes sont étouffées en 1927. Le parti communiste envoie Chou-en-Lai pour préparer une seconde insurrection.

1. Folio.
2. Pour la liste complète des œuvres non romanesques d'André Malraux, se reporter à la fin de l'édition Folio

Le roman d'André Malraux relate précisément du 21 mars au 6 avril 1927 ces actions clandestines du parti communiste. En 1931 sera proclamée la République soviétique chinoise de Mao Tsé-toung.

C'est sur ce fond de luttes et de défaites, de trafics et de complots, que les héros d'André Malraux : le jeune Eurasien Kyo, sa femme May, son père Gisors, sont aux prises avec leur « condition ». Kyo, chargé de la coordination des forces insurrectionnelles, cherche à concilier ses aspirations personnelles et la mission collective dont il est investi : « Ce n'était pas lui qui songeait à l'insurrection, c'était l'insurrection, vivante dans tant de cerveaux comme le sommeil dans tant d'autres, qui pesait sur lui au point qu'il n'était plus qu'inquiétude et attente » (p. 47). Les actions relatées dans le roman sont autant de prétextes à réflexion sur les conflits de l'homme. Devant tant de souffrance et d'angoisse, la mort apparaît même comme un acte « exalté », l'ultime tentative pour résoudre l'absurdité et la disparité de la condition humaine. Le suicide de Kyo, ce don du cyanure qu'il se fait à lui-même dans un préau d'école où il attend avec deux cents blessés communistes qu'on le jette vivant dans la chaudière d'une locomotive, est dynamique : « Mourir est passivité, mais se tuer est acte » (p. 303).

● **La fable exemplaire de notre temps :** bien que les dialogues idéologiques ne manquent pas, Malraux évite de présenter des personnages théoriques. L'aventure révolutionnaire pour ces êtres en quête de leur propre vérité, déchirés d'angoisse, épris d'absolu, c'est un défi contre l'inertie et l'impuissance, contre la misère et la haine, contre l'angoisse et la mort, contre la guerre, la torture et la tyrannie, contre les entraves qui abolissent l'homme.

● **La condition de l'homme :** impuissant à améliorer sa propre condition, l'homme se sacrifie pour que se perpétue la condition des autres. L'amour, la pitié, la fraternité donnent, au sein de ce rêve marxiste, une sorte de permanence à l'homme en proie à ses métamorphoses : « Toute douleur qui n'aide personne est absurde. »

38. Les Jeunes filles[1], 1936-1939

HENRY DE MONTHERLANT

Henry de Montherlant (1896-1972) est un homme d'un autre âge égaré au XXe siècle. Cet aristocrate de culture classique aurait voulu se mêler à l'action : la guerre de Quatorze, le sport, la tauromachie lui ont servi de prétextes. Mais, incapable de résoudre ses propres contradictions et de libérer sa personnalité étouffée par l'éducation jésuite, il a porté sur le théâtre avec une rigueur trompeuse toutes les équivoques et toutes les ambiguïtés de son personnage. Romancier, il ne voudrait pas qu'on le prenne pour son héros, Pierre Costals, et il se défend de lui ressembler. Le suicide a mis un terme à une vie que les honneurs n'avaient pas suffi à combler : il aura porté jusqu'au bout un masque de conquérant inassouvi.

Le cycle des *Jeunes filles* rassemble quatre romans dont les titres nous invitent à l'itinéraire sentimental du héros. Après avoir été la proie des *Jeunes filles*, Pierre Costals se sent pris d'une *Pitié pour les femmes* qui n'auront pas eu l'heur de recevoir d'un homme le don de l'amour. Il pourrait même être saisi par *le Démon du bien*, consentir à sortir de son égoïsme pour épouser dans un élan de charité celle qu'il a prise dans ses bras. Mais, convaincu qu'une femme l'a contaminé, il les considère désormais toutes comme des *Lépreuses* et achève d'établir cette incommunicabilité qui le préservera d'autres contagions.

Pierre Costals, écrivain en renom, profite de ses romans pour séduire les jeunes filles. Deux femmes traversent cette période de sa vie. Une vieille fille de province, Andrée Hacquebaut, dans la solitude de son cœur, s'est laissée envahir par une passion dangereuse pour le grand homme. Elle l'inonde de lettres

1. Folio.

118

auxquelles il répond parfois, avec un cynisme mêlé de pitié : « Vous devriez acheter un pèse-lettres », conclut-il un jour. N'affirme-t-il pas : « Les jeunes filles sont comme ces chiens abandonnés, que vous ne pouvez regarder avec un peu de bienveillance sans qu'ils croient que vous les appelez, que vous allez les recueillir, et sans qu'ils vous mettent en frétillant les pattes sur le pantalon. »

Il en va de même avec Solange Dandillot : mais Solange, c'est le désir. Il est même heureux avec elle jusqu'au jour où la question du mariage est posée : « Le mariage des grands hommes, c'est leur part inavouable. Une femme est une cause de soucis, et un homme exceptionnel doit avoir l'esprit libre. » Il fuit, il refuse d'aller « derrière elle, comme un bœuf va à l'abattoir ». Elle le rejoint, il comprend mieux encore quel fardeau elle devient : « Laissez-moi vivre à la cime de moi-même... Je brûlais ; elle m'éteint. Je marchais sur les eaux ; elle se met à mon bras : j'enfonce. » Et ce mot cruel qui la congédie : « Ma vie est là où vous n'êtes pas. Vous n'avez été qu'un malentendu. »

Avec son fils, seul, Brunet, il entretient des relations de complicité masculine. « J'ai voulu qu'il fût préservé de la mère », dit-il, comme pour justifier de l'avoir écarté des femmes[2]...

• **Un célibataire acerbe :** Romain Rolland a écrit de cette suite romanesque : « C'est ce qui a été dit de plus cruel et de plus vrai sur les jeunes filles », et Montherlant a riposté qu'il n'attaquait que l'idolâtrie que la femme revendique. A la glorification, mais non aveugle, des vertus masculines, il oppose l'analyse perfide de la condition féminine. Ces « jeunes filles » sont caractérisées par leur infériorité morale et physiologique, un besoin de protection qui déchaîne chez l'homme le « démon » de faire le bien, et de céder à son donjuanisme. « Le seul destin acceptable pour une femme, écrit-il, est le mariage heureux » ; encore faudrait-il que l'homme et la femme aient la même notion du bonheur.

Télévision : *Les Jeunes Filles,* feuilleton (1978).

2. Cf. note 1, p 120

C. L'HOMME EN QUÊTE DE SON EXISTENCE

Dans la production romanesque du XXᵉ siècle, s'affirme un type de personnage curieusement permanent : quelqu'un qui se délivre de ses origines, de la famille, de la société qui l'ont produit et qui l'environnent, pour s'engager à la recherche de soi-même.

A l'individu dépendant des autres, soit par le réseau des sentiments et des idées, soit par la pression des traditions et des responsabilités, succède l'être émancipé, déraciné, affranchi, qui se pose la question de son existence non comme partie d'un tout, mais comme cellule isolée. C'est le personnage du *bâtard*, le *faux-monnayeur* de Gide[1], le *fils de personne* de Montherlant, le *sursitaire* de Sartre, le *voyeur* de Robbe-Grillet, le marginal, l'Œdipe exilé qui cherche des mains tendues la direction de son destin.

Les êtres en quête de leur Moi, d'autant plus angoissés qu'ils ont quitté ces familles haïssables qui les condamnaient à n'être qu'un produit, n'ont plus, pour se remettre en question et s'assurer qu'ils existent, que des témoignages-repères posés en dehors d'eux ou en regard d'eux : pour le héros de **la Nausée**, Antoine Roquentin (cf. p. 122), ce seront, entre autres objets, une petite statuette khmère ou le loquet de la porte qui lui révéleront qu'il existe. Ces objets lui donnent la nausée. Pour Wallas, dans **les Gommes** d'Alain Robbe-Grillet (cf. p. 140), c'est justement une gomme qui sera le symbole de l'autodestruction ou du destin destructeur[2].

La mort de sa mère fait de Meursault un **Étranger** (cf. p. 124) aux autres, orphelin qui, au moment de quitter lui-même la société des hommes, perçoit jusque dans leur haine collective une raison d'exister. Et le même sentiment d'*autrui* remplit l'existence solitaire du Robinson de Michel Tournier (cf. p. 144),

1. « Nous sommes tous bâtards ; et l'homme si vénérable que j'appelais mon père était je ne sais où quand j'ai été fabriqué : c'est quelque faussaire qui m'a frappé à son coin » (Shakespeare, *Cymbeline*, II, 5).
2. « Je naissais dans cet instant à la vie et il me semblait que je remplissais de ma légère existence tous les objets que j'apercevais » (Jean-Jacques Rousseau, *les Rêveries du promeneur solitaire*).

privé de ce témoignage des autres sur lui-même : « Tu existes parce que nous existons et parce que nous savons que tu existes. »

A l'inverse de Balzac ou de Zola, qui donnaient à leurs personnages une identité et une hérédité, les romanciers du XXᵉ siècle ont souvent privilégié l'homme totalement seul, à qui il ne suffit plus de penser pour être, et qui recherche dans l'action la dynamique même de l'existence. J'agis, donc je suis. Chez **Malraux** (cf. p. 116), **Giono** (cf. p. 130), **Aragon** (cf. p. 132), c'est l'action même qui détermine la destinée de l'homme. Et c'est parfois aussi le sens de la responsabilité collective qui fait naître chez lui un espoir profondément humaniste. L'homme en sursis-survie attend de ce qui est en train d'arriver une réponse à son angoisse existentielle : il n'est pas, il se crée en agissant, par l'engagement à la cause, sociale ou politique.

Dans une certaine mesure, **l'Écume des jours** (cf. p. 126) et **Zazie dans le métro** (cf. p. 128) constituent des fables modernes : la fantaisie ou le bon sens ne font pas échapper à l'absurde d'un monde d'adultes sur lequel Colin et Chloé, Chick, Zazie, jettent un dernier regard d'adolescents, avant d'être tout à fait dévorés par la civilisation qui les happe.

En quête de leur existence, comme Aldo, témoin de la décadence suicidaire de la République d'Orsenna, dans **le Rivage des Syrtes** (cf. p. 134), ou comme **Hadrien** (cf. p. 136), qui s'interroge sur lui-même au terme de sa vie, Julien Gracq et Marguerite Yourcenar se confrontent avec l'Histoire, réelle ou non. Le XXᵉ siècle aura été le siècle de l'homme seul qui cherche qui il est.

Simone de Beauvoir, avec **l'Invitée** (1943) et **les Mandarins** (1954), exprime sa foi dans les mêmes engagements que les hommes, « déchirée entre son besoin des autres » et « le vertige d'un orgueil qui souffre de l'existence des autres comme d'un défi ou d'une négation » (Gaétan Picon).

39. La Nausée[1], 1938

JEAN-PAUL SARTRE

Né à Paris, Jean-Paul Sartre (1905-1980) est reçu au concours de l'École Normale supérieure à l'âge de dix-neuf ans. Agrégé de philosophie en 1929, il a poursuivi une carrière dans l'enseignement, interrompue par la guerre, jusqu'en 1945. Mis en congé illimité, il s'est ensuite consacré au journalisme et aux voyages. Intellectuel militant de gauche, il a pris position sur les événements contemporains.

Son œuvre philosophique a profondément marqué l'après-guerre avec la publication de *l'Être et le Néant* en 1943. Il n'y définit pas la liberté comme l'aptitude à disposer de son destin pour en changer le cours, mais comme un *engagement* possible de l'homme qui donne un sens à sa situation. L'exercice de cette liberté de s'identifier avec lui-même peut faire prendre conscience à l'homme du tragique de l'existence et l'entraîner dans le désespoir. Seul le sens de la solidarité, qui fait de *l'existentialisme* un humanisme, peut arracher l'homme au nihilisme absolu, à la conviction de son néant.

1938, *La Nausée.*
1939, *Le Mur.*

Les Chemins de la liberté :
— **1945,** *L'Age de raison.*
— **1946,** *Le Sursis.*
— **1949,** *La Mort dans l'âme.*

Du 29 janvier au 21 février 1932, Antoine Roquentin tient son Journal pour essayer d' « y voir clair ». Il s'est installé à Bouville pour y travailler à un livre d'histoire. Mais, dans cette petite ville morne, les dimanches sont monotones. Les rencontres fortuites sont vite propices à rendre Antoine conscient de son étrangeté à tout ce qui l'environne.

C'est qu'Antoine, par un effort de lucidité, au milieu des coïncidences et des quiproquos de la vie, commence à s'interroger sur cette évidence qu'il croyait n'avoir jamais mise en doute : il *existe*. L'intuition, puis l'ambiguïté, la certitude

1. Folio.

enfin de son existence sont autant d'étapes qui se révèlent jalonnées de repères, comme des *nausées* qui le prendraient pour lui faire connaître qu'il *est*. La Nausée, c'est plus une sorte de dégoût moral qu'inspire à cet intellectuel la réalité visqueuse des êtres et des choses, que le besoin physique de vomir. Une petite statuette khmère lui a, pour la première fois, donné le sentiment qu'il *existait* : un étui de carton, un verre de bière, une borne blanche, une goutte de sang à la surface d'un œuf, lui ont à chaque fois soulevé le cœur. D'abord frappé par l'absurdité de sa découverte, Antoine comprend que les autres, êtres ou objets, détiennent le pouvoir de nous révéler notre *existence*. Les pages 140 à 147 en contiennent soixante-seize fois l'affirmation : « J'existe. » Mais que fera-t-il maintenant de cette liberté toute neuve d'exister ? L'œuvre d'art, le livre qu'il écrit, n'est-ce pas une raison de vivre ?

● **L'illumination** : « Et puis voilà : tout d'un coup, c'était là, c'était clair comme le jour : l'existence s'était soudain dévoilée » (p. 179).

● **L'angoisse et l'absurde** : « Nous étions un tas d'existants gênés, embarrassés de nous-mêmes, nous n'avions pas la moindre raison d'être là, ni les uns, ni les autres ; chaque existant, confus, inquiet, se sentait de trop par rapport aux autres » (p. 180-181).

● **Le temps** : cette intuition de l'existence s'y inscrit. La simultanéité des choses et des êtres qui existent s'impose avec son prolongement par la mémoire : « L'existence est un plein que l'homme ne peut quitter » (p. 188).

● **Existence et réalité** se confondent alors : « Tout ce qui reste de réel, en moi, c'est de l'existence qui se sent exister » (p. 236). La découverte de la liberté implique l'emploi de cette liberté : « Je suis libre : il ne me reste plus aucune raison de vivre... » (p. 219). La seule issue, c'est l'engagement (cf. Formation III, p. 150).

40. L'Étranger[1], 1942

ALBERT CAMUS

Né du sol algérien, Albert Camus (1913-1960) reste un écrivain de là-bas : d'Alger où se déroule l'action de *l'Étranger,* d'Oran où il a situé l'allégorie de *la Peste,* de cette terre « habitée par les dieux » et où « les dieux parlent dans le soleil et l'odeur des absinthes ». Né, comme il l'a dit, entre le soleil et la misère, il a ressenti toute sa vie la nostalgie de la lumière et la pitié de l'homme. Il disparut dans un accident de la route absurde, compatible avec sa propre pensée. Ni disciple, ni satellite de Sartre, son aîné de huit ans, il a su concilier l'angoisse du *néant* avec la générosité de l'*être.*

1942, *L'Étranger.*	**1956,** *La Chute.*
1947, *La Peste.*	**1957,** *L'Exil et le Royaume.*

Tout commence avec la mort de sa mère. Lorsqu'il se rend à Marengo pour l'enterrer, Meursault ignore qu'il entre dans l'absurde. Chacun de ses actes, et les motivations qu'on s'efforcera de leur donner, le conduira à l'échafaud. On l'accusera d'insensibilité : pourquoi avait-il mis sa mère dans un asile de vieillards ? Pourquoi n'a-t-il pas pleuré au cimetière ? Les témoins deviendront demain des accusateurs : le directeur de l'asile, le concierge, Thomas Pérez, un vieux compagnon de sa mère, tout simplement parce que Meursault ne partage pas leurs émotions.

Il ne sait pas encore qu'on est en train de faire de lui un « étranger ». Il vit tout simplement sa vie de petit employé algérois, avec son patron, avec Marie qui l'aime, avec son copain Raymond qui l'entraînera dans une sale affaire. Il pourrait bien épouser Marie si elle le désire : au fond, c'est la même chose. Il n'éprouve pas les mêmes passions, mais il sait qu'elles existent.

1. Folio.

C'est le soleil qui, aveuglant Meursault sur cette plage où le destin l'a conduit, sera le complice d'un meurtre absurde, gratuit, digne d'un roman de Dostoïevski : « J'ai compris que j'avais détruit l'équilibre du jour, le silence exceptionnel d'une plage où j'avais été heureux. » Il sera jugé pour avoir tué un Arabe qui ne lui avait rien fait. Mais son passé, scruté par le juge d'instruction, s'éclaire autrement. Il sera jugé pour être différent des autres et déranger leur univers conventionnel. Ses actes les plus simples deviendront motivations insoupçonnées, préméditations, faisceau de preuves. On l'accusera « d'avoir enterré sa mère avec un cœur de criminel ». A mesure que se trame contre lui le complot de la société, et qu'on tisse un destin qui n'est plus le sien, il se sent devenir étranger : « Mon sort se réglait sans qu'on prenne mon avis. » Il faudra l'imminence de la mort pour que, dans sa passion d'absolu et de vérité, il se mette à aimer la vie. Les cris de haine qu'il espère pour son exécution lui feront alors sentir qu'il n'était pas un étranger aux autres.

● **La mort heureuse**[2] : dans le dépouillement de sa forme et la rigueur de sa structure, ce roman est habité d'une grande passion. L'absurde n'y est qu'une hypothèse de départ. Ce sont les autres qui vont révéler à Meursault qu'il ne leur ressemble pas. On pourrait accuser ce héros suicidaire de lâcheté quand il s'abandonne à ses bourreaux. Privé de sentiment, de vie intérieure, de libre arbitre, il bouleverse les valeurs traditionnelles. Mais sa révolte le réhabilite, avec l'irruption de la tendresse et de la foi, non plus apprises, mais naturelles comme l'espoir. La mort dénoue les relations qu'il entretenait avec son propre destin : c'est dans la sérénité de cette acceptation que Meursault devient un homme

Cinéma : Luchino Visconti, *Lo Straniero* (1967), dans lequel le célèbre réalisateur italien ne parvient ni à transposer la vision de Camus ni à lui substituer sa propre philosophie (cf. p. 152).

2. Titre de la première version de *l'Étranger* (1936). Le manuscrit de *l'Étranger* porte d'ailleurs en sous-titre la mention : « Un homme heureux »

41. L'Écume des jours[1], 1947

BORIS VIAN

Ingénieur issu de Centrale, Boris Vian (1920-1959) se fait connaître après la guerre. Il joue du jazz dans les caves, s'engage auprès de Jean-Paul Sartre et de Simone de Beauvoir[2] dans les cénacles de Saint-Germain-des-Prés où règne *l'existentialisme*, fait scandale avec *J'irai cracher sur vos tombes*. Trompettiste, chansonnier, poète, romancier, ses dons multiples mettent à l'épreuve une santé fragile. Il meurt prématurément.

1946, *J'irai cracher sur vos tombes*[3].
1947, *L'Écume des jours*.

1947, *L'Automne à Pékin*.
1950, *L'Herbe rouge*.
1953, *L'Arrache-Cœur*.

« Colin reposa le peigne et, s'armant d'un coupe-ongle, tailla en biseau les coins de ses paupières mates, pour donner du mystère à son regard » (p. 7) : ainsi, par l'irruption du bizarre, nous est présenté ce jeune homme oisif, raffiné, qui est presque toujours de bonne humeur et dort le reste du temps. Il passe ses journées avec son ami Chick, passionné des œuvres de Jean-Sol Partre. Mais il s'ennuie et voudrait être amoureux. C'est alors qu'il rencontre Chloé. Une petite souris grise à moustaches noires est le témoin de leur idylle, le fétiche qui les accompagnera jusqu'au bout. Les voilà mariés. Un nénuphar pousse dans le poumon droit de Chloé. A mesure qu'elle dépérit, les dimensions de la chambre où elle repose diminuent et la petite souris elle-même reste sans force. Les fleurs que Colin prodigue autour de Chloé lui font du bien, mais elles meurent vite, et Colin doit travailler pour acheter ces remèdes embaumés. Il s'engage dans une serre où poussent des canons de fusils. Alise, l'amie de Chick, tue Jean-Sol Partre d'un coup d'arrache-cœur dans un débit de boissons parce qu'elle ne veut plus que Chick dépense tout son argent en éditions originales de

1. 10/18.
2. Jean-Sol Partre et la duchesse de Bovouard dans *l'Écume des jours*.
3. Sous le pseudonyme de Vernon Sullivan.

son auteur favori, et elle incendie les libraires. Chick est tué au cours d'une perquisition. Chloé meurt tandis que l'appartement se dégrade de plus en plus et que le plafond rejoint le plancher[4]. Devant le chagrin de Colin, la petite souris préfère se suicider entre les canines acérées d'un chat.

● **L'écume des jours:** « A l'endroit où les fleuves se jettent dans la mer, il se forme une barre difficile à franchir et de grands remous écumeux où dansent les épaves. Entre la nuit du dehors et la lumière de la lampe, les souvenirs refluaient de l'obscurité, se heurtaient à la clarté et, tantôt immergés, tantôt apparents, montraient leurs ventres blancs et leurs dos argentés » (p. 87).

● **Une œuvre ambiguë :** ce roman d'amour passe de l'attente au bonheur parfait, et du désarroi devant le mal à l'épilogue d'un enterrement dérisoire.

L'usine dans laquelle travaille Chick (p. 132), le *job* que se procure Colin (p. 140), montrent un univers où le travail est l'auxiliaire d'exploitation et de destruction de l'homme.

● **Une féerie du langage :** mais c'est surtout la langue qui donne à cet univers sa profonde originalité, une langue où l'imagination (le «palpeur sensitif» de viande, p. 9 ; le « pianocktail », p. 12) est servie par l'humour (l'histoire de l'anguille, p. 14).

● **L'humour** lui-même subit des variations. Tantôt *noir* (la mort du patineur, p. 20 ; l'accident du fossoyeur, p. 172), tantôt *burlesque* (la conférence de Jean-Sol Partre, p. 74), il ne recule pas devant le canular et la contrepèterie (« les tirages limités sur tue-mouches ou vergé Saintorix », p. 150 ; « il faut que nous vous passions à tabac de contrebande », et les « tue-fliques », (p. 159).

Cinéma : Charles Belmont, *l'Écume des jours* (1968).

---

4. La même idée de la dégradation des lieux accompagnant le déclin de l'homme se retrouve dans *le Roi se meurt* d'Eugène Ionesco (1962).

42. **Zazie dans le métro**¹, 1959

RAYMOND QUENEAU

Raymond Queneau (1903-1976) a tiré devant sa pensée
profonde un rideau malicieux. La virtuosité de son humour a
souvent masqué une émotion réelle et une méditation très
personnelle sur les grands courants d'idées de son époque.
Passionné de philologie, il a cherché, comme Boris Vian et
Céline, à régénérer la langue écrite par le miracle de la langue
parlée².

1933, *Le Chiendent.*	**1959**, *Zazie dans le métro.*
1942, *Pierrot mon ami.*	**1965**, *Les Fleurs bleues.*
1945, *Loin de Rueil.*	

Pendant que sa mère passe deux jours dans les bras de son
amant, Zazie s'octroie des vacances à Paris. Certes, sa mère l'a
confiée à l'oncle Gabriel, mais celui-ci, un vrai colosse, marié
avec Marceline, danse le soir dans un cabaret, habillé en
Sévillane. Et la personnalité de son oncle, l'étrange métier de
« danseuse de charme » qu'il exerce (p. 62), les personnages
pittoresques qui l'entourent, comme Turandot, le patron du
bistrot, et sa serveuse, Mado Ptits-pieds, sont faits pour plaire
à Zazie. C'est une petite fille insolente, frondeuse, mal
embouchée, et très en avance sur son âge. Comme le lui répète le
perroquet Laverdure : « Tu causes, tu causes, c'est tout ce que
tu sais faire » (p. 29). Pour causer, elle cause, et c'est sa manière
d'agresser le monde des adultes.

D'abord, elle veut prendre le métro. Mais une grève
immobilise le métro, et aussi les funiculaires et les *métrolleybus* :
« Ah les salauds, s'écrie Zazie, ah les vaches. Me faire ça à moi »
(p. 12). Après avoir commencé par une fugue (« Lagoçami-
lébou», p. 37) et visité les Puces avec un «type» qu'elle a
rencontré par hasard (« On trouve des ranbrans³ pour pas cher,
ensuite on les revend à un Amerloc»⁴, p. 46), elle rejoint son
oncle. Ensemble, ils visitent Paris en car, montent au Sacré-
Cœur pour admirer *l'orama* (p. 85). Zazie ne perd pas une occasion de raconter des histoires sur sa mère : «Figurez-vous que

---

1. Folio.
2. *Exercices de style* (1947) ; *Bâtons, chiffres et lettres* (1950).
3. Rembrandt !

maman a fendu le crâne à mon papa. Alors des flics après ça, vous parlez si j'en ai vu, ma chère » (p. 106). Zazie va-t-elle au restaurant, elle fait un scandale comme une grande personne. Au terme de cette odyssée parisienne plus rocambolesque qu'homérique, Zazie est amère : « Tout ça, dit Zazie, c'est misérable, moi je n'aime que le métro » (p. 115). Mais le métro, elle ne l'a pas vu ! « Alors, lui demande sa mère, qu'est-ce que t'as fait » ? Zazie : « J'ai vieilli. »

● **Les mots de Zazie** : le vocabulaire, très imagé, de Zazie fait appel à des mots ou à des inventions verbales :

Mots d'argot : *fouillouse* (45), *pacson* (57), *pébroque* (59), *lourdingue* (105), *bectance* (131), *blase* (159), *ramdam* (167)...

Mots d'anglais : *bloudjinnzes* (49), *plède* (106), *quidnappeurs* (111), *tôste* (150)...

Mots phonétiques : *doukipudonktan* (9), *chsuis, jparie* (11), *s'esclama* (13), *essmefie* (14), *vzêtes* (21), *qzactement* (29), *faut sméfier* (50), *elle a voulumfaucher* (57), *si bien xa* (75), *dakor* (79), *dmanddzi* (145), *à kimieumieu* (167)...

Et que dire de : *Vvui, vuvurèrent* (69) et de *vozouazévovos* (117) ?

● **Un faux roman populiste** : la psychanalyse pourrait expliquer le comportement de Zazie qui a été témoin de situations sordides. Mais Queneau préfère confier l'explication à une pirouette en forme de pastiche : « Paris n'est qu'un songe, Gabriel n'est qu'un rêve (charmant), Zazie le songe d'un rêve (ou d'un cauchemar) et toute cette histoire le songe d'un songe, le rêve d'un rêve, à peine plus qu'un délire tapé à la machine par un romancier idiot (Oh ! pardon[4]) » (p. 90).

Zazie attaque nos quatre vérités à belles dents. Aussi railleur et aussi tendre sera le petit monde de Momo, le jeune héros de *la Vie devant soi* d'Émile Ajar (1975) (cf. p. 139). Gavroche aura eu sa descendance.

Cinéma : Louis Malle, *Zazie dans le métro* (1960).

4. « La vie n'est qu'une ombre qui passe, un pauvre histrion qui se pavane et s'échauffe une heure sur la scène, et puis qu'on n'entend plus... Une histoire contée par un idiot, pleine de fureur et de bruit et qui ne veut rien dire » (Shakespeare, *Macbeth*, V, 5).

43. Le Hussard sur le toit[1], 1951

JEAN GIONO

Autodidacte, fils de Manosque, berger et montagnard, Jean Giono (1895-1970) avait voulu, dans ses premiers romans, décrire une vie simple et pastorale où l'homme et la nature communient dans un même bonheur. Mais, militant pacifiste, il est arrêté après la guerre pour ses sympathies au régime de Vichy. Cette expérience accroît son amertume et il se réfugie dans l'évocation d'un passé qu'il se plaît à peindre heureux. Après avoir cru à un bonheur rousseauiste, il recherche, en créant ce nouveau Fabrice qu'est Angelo Pardi, son « hussard », le bonheur selon Stendhal.

1929, *Colline.*   **1949,** *Mort d'un personnage.*
1929, *Un de Baumugnes.*   **1950,** *Les Ames fortes.*
1930, *Regain.*   **1951,** *Le Hussard sur le toit.*
1931, *Le grand troupeau.*   **1952,** *Le Moulin de Pologne.*
1933, *Jean le Bleu.*   **1957,** *Le Bonheur fou.*
1935, *Que ma joie demeure.*   **1958,** *Angelo.*

Quatre romans de Giono se rapportent à l'histoire d'Angelo Pardi, fils naturel de la duchesse Ezzia Pardi : *Angelo,* écrit en 1934 ; *le Bonheur fou, Mort d'un personnage* et *le Hussard sur le toit.*

Sans doute l'épidémie de choléra décrite dans *le Hussard sur le toit* ne revêt-elle pas l'aspect symbolique qui avait fait de *la Peste* d'Albert Camus en 1947 une évocation du nazisme. Mais la description tragiquement superbe que brosse Giono du mal qui sévit pendant l'été 1838 en Provence n'échappe pas à une certaine signification allégorique : « Un choléra est gratuit. C'est une belle économie de moyens que de n'avoir plus qu'à diriger des terreurs toutes prêtes, des ivresses dont Dieu est le cabaretier » (p. 142).

Un jeune colonel de hussards de vingt-cinq ans, Angelo, *carbonaro*[2] en exil, traverse le sud de la France pour regagner

1. Folio.

son Piémont natal. Il rencontre à Orange les premiers symptômes de l'épidémie : sa chevauchée jusqu'à la frontière italienne sera jalonnée de cadavres hideux et de scènes de violence. A Manosque, la populace s'en prend à lui. Menacé d'être lynché, il s'évade, et son séjour sur un toit en compagnie d'un chat est un morceau de bravoure. Il est de ceux qui croient à leur cause, à la sincérité des autres, et « qui ont vingt-cinq ans pendant cinquante ans ». Il parvient à quitter Manosque en compagnie d'une jeune femme qui l'a secouru, Pauline. Et dans ce pays qui n'est pas le sien, il lutte pour une cause qui n'est pas la sienne, portant un secours physique et moral aux pauvres gens qu'il rencontre sur sa route. La pensée de l'Italie de plus en plus proche ne peut lui faire oublier le choléra. Pauline elle-même en est atteinte, mais guérit. Il la laisse en France tandis qu'il franchit la dernière étape vers l'Italie, « au comble du bonheur ».

● **Une épopée généreuse :** Angelo Pardi, jeune, généreux, avide d'action, mesure, pareil à Fabrice del Dongo, sa force d'âme à l'action dans laquelle il est précipité. Fils naturel, « est-ce qu'il n'était pas tout simplement en train de faire enregistrer ses lettres de noblesse ? Tous les bâtards en sont là » (p. 205). Et l'on entend comme un écho gidien : « Pensait-il même à toutes les échelles à gravir que contient le mot naturel[3]... ? » (p. 139).

● **Un héros idéal :** ainsi Giono fait-il le procès de sa civilisation en donnant une vision idéaliste de l'homme et de ses qualités élémentaires : Angelo ne doit à sa mère que le brevet de colonel qu'elle lui a acheté. C'est à lui-même de faire sa propre expérience de la vie et de la mort, du courage et de la solitude.

2 Conspirateur opposé à l'occupation autrichienne en Italie.
3. Cf. note 1, p. 120.

44. Aurélien[1], 1945

LOUIS ARAGON

Louis Andrieux dit Aragon (1897-1982) est d'abord, à côté d'André Breton, l'un des promoteurs de la révolution surréaliste. Rompant avec ce mouvement en 1931, sans pour autant renoncer à la poésie, il s'engage dans une voie plus réaliste et plus traditionnelle. En même temps que commence pour lui une ère de production romanesque, il participe aux luttes politiques. Adhérent au Parti communiste depuis 1927, rédacteur à *l'Humanité* et directeur des *Lettres Françaises*, il reçoit le prix Lénine international de la Paix en 1957. Bien que ses positions à l'égard de la liberté d'expression dans les républiques socialistes et devant l'invasion de la Tchécoslovaquie en 1968 par l'armée soviétique aient été controversées, il reste jusqu'à sa mort un porte-parole ardent des idéaux prolétariens.

Elsa Triolet (1896-1971), belle-sœur du poète soviétique Maïakovski et romancière de talent, a inspiré à Aragon, dont elle a partagé la vie et la pensée, ses plus beaux cycles de poèmes.

1921, *Anicet ou le panorama.*	**1942,** *Les Voyageurs de l'impériale.*
1925, *Le Paysan de Paris.*	
	1949-1951, *Les Communistes.*
Le Monde réel :	**1958,** *La Semaine sainte.*
1934, *Les Cloches de Bâle.*	**1965,** *La Mise à mort.*
1936, *Les Beaux Quartiers.*	**1967,** *Blanche ou l'oubli.*
	1980, *Le Mentir-Vrai.*

Aurélien, écrit dans la clandestinité en 1943-1944, occupe une place privilégiée dans le cycle romanesque du *Monde réel* dont il forme le quatrième tome. Cette large fresque sociale constitue une chronique des années 1889 à 1940. *Les Voyageurs de l'impériale* évoque jusqu'en 1914 la mutation des sociétés et *les Cloches de Bâle,* de 1904 à 1912, les luttes ouvrières. *Les Beaux Quartiers* restitue l'atmosphère troublée à la veille de la guerre de 14-18. Avant les six volumes des *Communistes* qui retracent de février 1939 à juin 1940 l'histoire d'un monde à nouveau en situation d'avant-guerre et de guerre, *Aurélien* marque une sorte de pause.

1. Folio, 2 tomes

Dans ce roman, moins engagé que les autres, l'amour devient la dominante. L'action, qui se déroule au cours de l'hiver 1921-1922, met en présence Bérénice Morel, jeune provinciale arrivée à Paris, et Aurélien Leurtillois, qui vient de sortir de la guerre pour entrer dans le plaisir et l'oisiveté. Cette liaison avorte, mais laisse Aurélien dans un si profond désespoir qu'il se range et s'enrôle dans le monde des affaires. En juin 1940, aux jours de l'exode et de la défaite, Aurélien et Bérénice se rencontrent à nouveau, mais plus rien ne les unit. Chez lui est morte cette «passion si dévorante qu'elle ne peut se décrire» : le goût de l'absolu, qu'elle a gardé. Bérénice meurt d'une balle perdue...

● **Le retour des personnages :** Aragon le pratique dans l'ensemble du cycle. Les personnages secondaires sont nombreux, mais demeurent des comparses. Ils tissent autour des deux jeunes gens un réseau d'idées reçues qui pèsent sur leur destin. Ils représentent la société mondaine qui, dans l'entre-deux-guerres, a tué les idéaux.

● **Aurélien, c'est moi :** on a voulu trouver des clés à ce roman et voir, par exemple, en Aurélien l'écrivain Drieu la Rochelle. Aragon s'est expliqué : *Aurélien* pose «la question du roman, de l'invention des personnages, de leur ressemblance avec des modèles multiples, des motifs profonds de l'auteur pour se livrer à ce mélange d'aveux, de portraits, de mensonges et de masques».

● **Un grand roman d'amour nostalgique :** «L'impossibilité du couple est le sujet même d'*Aurélien.*» Dans ce tableau d'une génération déterminée au lendemain de l'armistice de 1918, le décalage s'accroît entre Aurélien, ancien combattant désenchanté et Bérénice qui n'a que vingt-deux ans. C'est un «divorce d'idées» de part et d'autre de la notion d'absolu.

45. Le Rivage des Syrtes[1], 1951

JULIEN GRACQ

Né en 1910, Louis Poirier, dit Julien Gracq, choisit très tôt l'enseignement, second métier de nombreux écrivains du XXe siècle. Agrégé d'Histoire en 1934, il enseigne à Nantes. Il venait de découvrir *Nadja* et le surréalisme. Mais son goût du passé l'entraîne vers d'autres mythologies : le Romantisme allemand ou, comme dans sa pièce *le Roi Pêcheur* (1949), les mystères du Graal. En 1951, il refuse avec éclat le Prix Goncourt pour *le Rivage des Syrtes,* mais le roman est accueilli d'emblée comme un chef-d'œuvre.

1938, *Au château d'Argol.*
1945, *Un Beau ténébreux.*
1951, *Le Rivage des Syrtes.*

1958, *Un Balcon en forêt.*
1970, *La Presqu'île.*
1976, *Les Eaux étroites.*
1981, *En lisant, en écrivant.*

Un jeune homme, Aldo, à la suite d'un chagrin d'amour, demande à être envoyé comme observateur dans une garnison lointaine, au bord de la mer. La mission à laquelle le destinent son origine aristocratique et son éducation consiste dans la surveillance du rivage des Syrtes, au sud du territoire. Depuis trois siècles, la République d'Orsenna est en guerre avec le Farghestan dont Aldo pourrait apercevoir la capitale, le port de Rhages, de l'autre côté de la mer. Depuis longtemps, les hostilités se sont enlisées dans une sorte de trêve tacite. Dans l'Amirauté déserte, où Aldo passe ses journées à rêver ou à chevaucher, rien n'arrive jamais, ni dans les plaines maintenant marécageuses où paissent des moutons, ni sur la mer où les vaisseaux ennemis s'évitent soigneusement. Tout distille l'ennui et la solitude. Pour échapper à cette oisiveté morne, Aldo consulte les cartes : mais il éveille la crainte des autres officiers. Quelque initiative n'irait-elle pas rompre la stagnation silencieuse entre les deux États ?

Aldo décide un jour de visiter la ville de Sagra, sur une lagune proche. Elle est l'image de la République tout entière, moribonde et inquiète.

1. Librairie José Corti.

À Maremma, ville voisine, il se lie avec l'altière Vanessa Aldobrandi. Des rumeurs, des indices, réveillent l'intérêt pour le Farghestan au moment même où Aldo et Vanessa admirent de l'île de Vezzano le volcan qui domine Rhages. Désormais, Aldo veut en gravir les pentes. Cette envie sera fatale à la République car elle suffira à ranimer la guerre. Mais plutôt le cataclysme que la lente asphyxie. Orsenna accélère son destin et se saborde pour échapper à sa torpeur.

● **Deux œuvres jumelles :** l'écrivain italien Dino Buzzati avait écrit en 1939 sur le même thème *le Désert des Tartares*. Même irrationnel de l'espace et du temps. Même univers mythique, magique. Même climat d'expectative et d'angoisse. Les destins se mesurent avec le temps qui passe, avec l'immobilisme des « espaces endormis », et attendent une issue à leur ennui collectif.

● **Des espaces symboles :** l'être est prisonnier des lieux où il existe : forteresse, chambre des cartes, îlots. Il évolue dans une sorte d'univers carcéral. La mer, force héroïque, représente pour lui le salut par l'action. L'encerclement par l'île, l'évasion par la mer, sont conciliés dans l'épisode médian de Vezzano : l'amour de Vanessa et d'Aldo, c'est le mariage de la terre et de la mer, la rencontre des forces-symboles de la mort et de la vie.

Avant *le Rivage des Syrtes,* cette magie des lieux avait dans *Au Château d'Argol* ou dans *Un Beau ténébreux* ce même pouvoir d'envoûtement.

● **L'écriture :** Gracq sait peindre ces paysages intérieurs où se réalise l'équivalence totale entre les états d'âme et les mirages des lieux. Il rend à merveille l'opaque, le laiteux, le spongieux, le fuligineux. La beauté du style confère à ce roman une étrangeté qui plonge le lecteur au sein même des ensorcellements morbides des héros.

46. Mémoires d'Hadrien[1], 1951

MARGUERITE YOURCENAR

Née en 1903 à Bruxelles, Marguerite de Crayencour[2] s'installe en France après 14-18 avec son père, latiniste éminent. A dix-huit ans, auteur d'un livre sur Pindare, elle lit couramment le grec et le latin. Elle voyage, puis s'établit aux États-Unis en 1939. Son tempérament solitaire et sauvage lui fait choisir l'île des Monts-Déserts où elle mène, entre ses chiens et ses livres, une vie proche de la nature, occupée à pétrir son pain et à couper du bois, mais aussi à traduire les poètes grecs de l'Antiquité[3]. En 1981, première femme reçue à l'Académie française[4], elle tourne ses regards vers l'Orient et publie une étude sur le grand romancier japonais Mishima *(Mishima ou la vision du rêve,* Gallimard,1981).

L'Empereur Hadrien, âgé de soixante-deux ans, écrit une longue lettre au jeune Marc Aurèle pour lui raconter sa vie dont il pressent la fin : « Le paysage de mes jours semble se composer, comme les régions d'une montagne, de matériaux pêle-mêle... Je m'efforce de reparcourir ma vie pour y trouver un plan, y suivre une veine de plomb ou d'or, ou l'écoulement d'une rivière souterraine, mais ce plan tout factice n'est qu'un trompe-l'œil du souvenir » (p. 33). Successeur de Trajan, Hadrien relate sa jeunesse, ses voyages, ses conquêtes. Mais, au faîte de la gloire, il demeure lucide : « Je suis comme nos sculpteurs : l'humain me satisfait ; j'y trouve tout, jusqu'à l'éternel » (p. 145). La rencontre d'un jeune Grec, Antinoüs, éclaire cette vie d'une singulière passion : « Je n'ai été maître absolu qu'une seule fois, et que d'un seul être » (p. 171). Mais Antinoüs se suicide. Désormais, l'Empereur n'est plus « qu'un

1. Folio.
2. Yourcenar est l'anagramme de Crayencour.
3. *La Couronne et la lyre,* Gallimard (1979).
4. Sur Marguerite Yourcenar, lire *Les yeux ouverts,* entretiens avec Matthieu Galey, éditions du Centurion (1980).

homme à cheveux gris » (p. 216), un « survivant » (p. 227). Le conflit entre l'homme et l'homme d'État hante ses dernières années. Il envisage lui-même le suicide comme la plus libre des décisions. Mais sa lettre à Marc Aurèle s'achève : « Je ne tiens plus ces tablettes que pour occuper mes mains » (p. 315). Il ramène toute grandeur aux dimensions de l'homme : « Hadrien jusqu'au bout aura été humainement aimé » (p. 316). Abandonnant le *je* pour la troisième personne, il entre en même temps dans la mort et dans l'Histoire.

● **Le présent, repère du passé :** « Ceux qui mettent le roman historique dans une catégorie à part oublient que le romancier ne fait jamais qu'interpréter, à l'aide des procédés de son temps, un certain nombre de faits passés, de souvenirs conscients ou non, personnels ou non, tissus de la même matière que l'Histoire » (p. 330). Ces Mémoires qu'*aurait pu écrire Hadrien,* c'est une jeune femme de vingt ans[5] qui les invente : l'intuition sonde des faits établis par l'érudition. Son livre n'est pas seulement le monologue intérieur d'un homme à la recherche de lui-même, remontant le cours du temps passé ou du temps perdu, c'est Marguerite Yourcenar qui s'efforce de franchir ce grand laps de temps mort pour établir le contact.

Il fallait un point où Marguerite Yourcenar allait s'effacer et Hadrien apparaître. Ce moment privilégié, c'est quand il *commence à apercevoir le profil de* sa *mort* : Hadrien est pareil à un peintre installé à son chevalet qui serait *dans* le tableau que peint Marguerite Yourcenar.

● **Archéologue de l'âme :** cet homme, cet empereur, est saisi dans le moment unique où il a été seul : ni dieux, ni Dieu. Il s'agit alors d'équilibrer les détails dans une perspective unique : atteindre l'homme dans l'harmonie de sa vie, de sa foi, de ses passions, de ses missions. Psychologue et érudite, Marguerite Yourcenar remonte aux sources de la pensée. Intermédiaire inspirée, elle refait du dedans « ce que les archéologues du XIXe siècle ont fait du dehors ». Un esprit supérieur singulièrement pénétrant domine la mosaïque des faits, et procède à l'introspection d'un autrui qui n'est plus.

5. La genèse des *Mémoires d'Hadrien* s'échelonne de 1924 à 1951.

D. LE « NOUVEAU ROMAN »
ET LE ROMAN NOUVEAU

En 1956, trois ans après la publication des **Gommes** (cf. p. 140) et un an avant celle de **la Modification** de Michel Butor (cf. p. 142), Alain Robbe-Grillet se fait, dans **Une voie pour le roman futur**, le théoricien du genre nouveau, de l'*antiroman*. C'est en fait, dirait-on, des conceptions traditionnelles et conventionnelles du héros, de l'intrigue, et surtout de l'engagement de l'auteur. Autour de Robbe-Grillet et de Michel Butor, un groupe se constitue, réunissant Nathalie Sarraute (1938, **Tropismes** ; 1948, **Portrait d'un inconnu** ; 1959, le **Planétarium**). Claude Mauriac (1959, **le Dîner en ville** ; 1961, **la Marquise sortit à cinq heures**), Claude Simon (1961, **la Route des Flandres**), Marguerite Duras.

Le *néo-romancier* préfère, à l'analyse en profondeur, qui lui paraît vaine, voire impossible, la description méthodique du monde extérieur. Le personnage cesse d'être le centre du récit : il pourrait à la rigueur n'être plus que l'objectif d'une caméra qui scrute inlassablement les lieux qu'elle parcourt et les fantômes qu'elle rencontre.

C'est pourquoi, peu après **Pour un nouveau roman** (1963) dans lequel il réaffirmait ses théories, Alain Robbe-Grillet s'est tourné vers le cinéma, peut-être plus apte à rendre cette exploration méticuleuse.

Marguerite Duras cherche à réaliser la synthèse du roman, du théâtre et du cinéma en faisant fusionner les techniques (cf. p. 153). Sa quête de l'amour absolu dans **les Petits Chevaux de Tarquinia** (1953) conduit sans doute à la constatation que l'incommunicabilité entre les êtres rend tout effort vain. Elle transpose **Moderato Cantabile** (1958) au cinéma, écrit le scénario d'**Hiroshima mon amour** (1960), reprend la donnée de son roman **Un Barrage contre le Pacifique** (1950) pour en faire une évocation scénique : **Éden-Cinéma** (1977). **Le Vice-Consul** (1965) sert de narration aux images d'**India song** (1975) et de **Son nom de Venise dans Calcutta désert** (1976).

Quelles que soient les options diverses des romanciers comme les incursions dans l'absurde (Samuel Beckett), il ne sera plus possible de considérer l'écriture romanesque comme la mise en œuvre de styles et de techniques délibérés. Chaque roman pourra revendiquer son propre langage : d'autres moyens d'agencer les mots et de les forcer à délivrer un message exact pourront être expérimentés.

Dans **la Vie mode d'emploi** (1978), Georges Pérec (1936-1982), auteur des *Choses* (1965), raconte la vie d'un immeuble et de ses différents occupants. Ce pourrait être un roman de Balzac aux cent histoires diverses qui auraient pour dénominateur commun un lieu. Mais la particularité du livre de Georges Pérec, c'est qu'on peut l'ouvrir n'importe où. Il n'y a ni début, ni fin, à la manière d'un film permanent que le spectateur pourrait regarder à partir de n'importe quelle image. C'est l'une des œuvres les plus originales qui aient été publiées depuis quelques années.

Pour une nouvelle génération, l'écriture devient une sorte d'exorcisme contre les démons du monde contemporain, l'angoisse, la solitude, l'incommunicabilité, le mal de vivre. Beaucoup, comme Patrick Modiano, né en 1945, sentent encore planer sur eux l'ombre de la guerre (1968, **la Place de l'Étoile**). Claude Faraggi, né en 1942, évoque une société malade d'elle-même (1975, **Le Maître d'heure**).

Cette même difficulté d'être parcourt la littérature féminine, de plus en plus nombreuse : chez Françoise Xenakis, Françoise Sagan, Françoise Mallet-Joris, Régine Deforges, la femme apparaît dans ses luttes et ses conquêtes.

Christiane Rochefort crie la détresse d'une jeunesse prisonnière de son environnement médiocre (1961, **les Petits enfants du siècle**), Romain Gary (1914-1980) sous le pseudonyme d'Émile Ajar raconte avec pittoresque dans **la Vie devant soi** (1975) la vie des émigrés.

Mais personne mieux que Le Clézio (cf. p. 144) n'a exprimé par l'écriture libératrice la condition de l'homme au sein de la société de consommation.

47. Les Gommes[1], 1953

ALAIN ROBBE-GRILLET

Alain Robbe-Grillet, né en 1922, s'est fait le théoricien d'un « nouveau roman » qui rejette les conventions établies au profit d'une recherche permanente de techniques, différentes de celles du roman classique. Ces investigations ont conduit Alain Robbe-Grillet à déserter le roman au profit du cinéma *(l'Immortelle, Trans-Europ-Express, l'Homme qui ment, l'Éden et après, Glissements progressifs du plaisir)*. La caméra mieux que le stylo permet de pénétrer au sein des êtres et des lieux sans la contrainte des artifices de la fiction.

L'auteur décrit ainsi l'action des *Gommes* dans la *Prière d'insérer :* « Il s'agit d'un événement précis, concret, essentiel : la mort d'un homme. C'est un événement à caractère policier — c'est-à-dire qu'il y a un assassin, un détective, une victime. En un sens, leurs rôles sont même respectés : l'assassin tire sur la victime, le détective *résout* la question, la victime meurt. Mais les relations qui les lient ne sont pas aussi simples, ou plutôt ne sont pas aussi simples qu'une fois le dernier chapitre terminé. Car le livre est justement le récit des vingt-quatre heures qui s'écoulent entre ce coup de pistolet et cette mort, le temps que la balle a mis pour parcourir trois ou quatre mètres — vingt-quatre heures « en trop ».

Il y a en réalité deux cycles de vingt-quatre heures. Le prologue commence à six heures du matin, l'épilogue s'achève à six heures du matin sur la même phrase qui débutait le roman : « Dans la pénombre de la salle de café... » (p. 11 et p. 257).

---

1. Éditions de Minuit.

Comment dans cet intervalle reconstituer cette journée perdue ? « Enveloppés dans leur cerne d'erreur et de doute, les événements de cette journée, si minimes qu'ils puissent être, vont dans quelques instants commencer leur besogne, entamer progressivement l'ordonnance idéale, introduire çà et là, sournoisement, une inversion, un décalage, une confusion, une courbure, pour accomplir peu à peu leur œuvre » (p. 11). L'intrigue commence par un coup de pistolet, à sept heures trente, la veille au soir (p. 27), simple fait divers, et prend fin le lendemain à la même heure par un autre coup de feu (p. 252) : entre-temps, nous nous efforçons de suivre l'enquête du commissaire Laurent, les allées et venues de l'agent spécial Wallas. Et la fascination tient moins au puzzle chronologique que nous essayons de reconstituer qu'à l'art avec lequel l'auteur nous en empêche.

● **Un casse-tête** : Alain Robbe-Grillet use au contraire d'une *déchronologie* faite de retours *en arrière* et *en avant,* de montages alternés, d'inversions du temps. Son implacable description de l'état des lieux n'accroît que davantage la perplexité du lecteur devant les péripéties paradoxales du récit, les revirements complets, l'équivoque des situations.

La *gomme* est un objet symbolique qui fait naître le sentiment d'exister. Elle est révélatrice du destin : elle signifie effacement, donc autodestruction ; substance molle, elle rend compte d'une émotion, d'un désir érotique (cf. Sartre, p. 122).

● **Romancier-voyeur** : « Le romancier contemporain doit faire des romans en accord avec la pensée contemporaine, en s'attachant surtout aux rapports qui existent entre les objets, les gestes et les situations, en dehors de tout «commentaire» psychologique ou idéologique sur le comportement des personnages[2]. »

Le romancier est un *voyeur,* le témoin impassible qui observe les comportements d'un sujet qu'il place dans une situation donnée.

Cinéma : Deroisy, *les Gommes* (1969).

2. A. Robbe-Grillet, « *Littérature d'aujourd'hui* ». *L'Express* (1955-1956).

48. La Modification[1], 1957

MICHEL BUTOR

Après avoir enseigné la philosophie au lycée de Sens, Michel Butor (né en 1926) part en Haute Égypte comme professeur de français, puis devient lecteur à l'Université de Manchester. En 1952, il découvre l'Italie qui marquera profondément son œuvre. Attaché à élaborer dans un « laboratoire du récit » de nouvelles techniques du roman, il s'interroge sur l'efficacité de ses investigations et, après 1960, renonce progressivement au genre romanesque.

Un homme de quarante-cinq ans se rend à Rome par le train. Il va y rejoindre sa maîtresse, Cécile Darcella, qu'il a rencontrée deux ans plus tôt et qui travaille à l'ambassade de France. Leurs rencontres espacées, lors de voyages à Rome, ne lui suffisent plus. Bien qu'il laisse derrière lui, en partant, sa femme Henriette et ses enfants, il a l'intention de ramener Cécile à Paris, de lui trouver du travail, de vivre avec elle : « Ce voyage devait être une libération, un rajeunissement, un grand nettoyage de votre corps et de votre tête... » (p. 26). Il anticipe la surprise et la joie de Cécile à son arrivée, quand il lui révélera les bonnes nouvelles.

Cependant, dans ce compartiment qu'il prend peu à peu en horreur, en face de ces voyageurs qui lui rappellent des souvenirs, tandis que les paysages qui défilent dans le rectangle de la fenêtre jalonnent son itinéraire, et que chaque nouveau tunnel réveille de nouveaux rêves ou de nouveaux cauchemars, s'amorce en lui une *modification*. Le doute s'installe en lui,

1. 10/18.

bénéficiant de cette torpeur des trains de nuit. Sa détermination s'effrite. Comment expliquera-t-il la situation à Henriette, sachant bien qu'elle refusera le divorce (p. 136) ? Et Cécile ? Sera-t-elle heureuse à Paris ? Leur liaison ne perdra-t-elle pas ce charme que Rome lui conférait ? « Il est maintenant certain que vous n'aimez véritablement Cécile que dans la mesure où elle est pour vous le visage de Rome » (p. 238). Le train approche de Rome : « Impuissant, vous assistiez à cette trahison de vous-même » (p. 151). Une certitude se fait jour : « Si elle vient à Paris, je la perds » (p. 189). Si bien qu'il ne verra même pas Cécile (p. 245) et reprendra le prochain train pour Paris. C'est désormais avec Henriette qu'il se promet de revenir à Rome.

● **Le « vous »** : ce qui frappe le lecteur, c'est l'emploi du *vous* et du présent de l'indicatif : l'auteur a l'air d'insinuer que celui qui lit son livre en est le héros, puisque c'est à lui qu'il s'adresse et que l'action semble concomitante. Telle est la grande originalité de ce livre qui supprime le héros parce que le héros, c'est le lecteur.

● **L'intrigue** : elle n'est qu'apparente, et, au fond, n'a aucune importance. Le voyage réel, soigneusement minuté avec la précision d'un indicateur de chemins de fer, fait illusion. C'est d'un itinéraire intérieur qu'il s'agit, le nôtre, qui, nous entraînant loin de ce compartiment (unité de lieu) et de ce Paris-Rome en vingt-quatre heures (unité de temps), entre ces deux femmes et ces deux lieux aux extrémités du voyage, nous convie à des déplacements subtils. Deux temps ainsi se font concurrence : tendu entre son passé et son avenir, Léon Delmont cesse d'exister entre la cour des départs et celle de arrivées.

● **Symbolisme du lieu** : au réalisme dérisoire du train, s'oppose une mythologie des réminiscences qui s'attachent aux lieux. C'est la splendeur baroque de Rome qui éclipse Cécile, ou la passion que Cécile lui inspire qui colore Rome à ses yeux d'une beauté nouvelle. Rome continuera-t-elle d'exister pour lui sans Cécile ?

Cinéma : Michel Worms, *la Modification* (1970).

49. Le Procès-Verbal[1], 1963

JEAN-MARIE-GUSTAVE LE CLÉZIO

J.-M.-G. Le Clézio (né à Nice en 1940) se révèle en 1963 par la publication du *Procès-Verbal,* son premier roman, qui le place d'emblée au rang des grands jeunes écrivains. Il y rassemble avec une profonde originalité les innovations et les forces du roman contemporain, exprimant la condition tragique de l'homme moderne en même temps qu'il remet en question la littérature traditionnelle. Il dénonce dans des sortes de fables la civilisation actuelle et la société de consommation (*les Géants*) et recherche, à la suite d'un séjour chez les Indiens d'Amérique centrale, un contact plus primitif entre l'homme et l'univers (1971, *Haï*). Il précise ses vues dans un essai, *L'Extase matérielle* (1967). Réaliste et visionnaire à la fois, il est l'un des rares écrivains à avoir su rendre avec autant d'acuité l'agression du monde d'aujourd'hui. Il se dirige du roman vers la nouvelle (*Mondo et autres histoires, le Jour où Beaumont fit connaissance avec sa douleur,* mais surtout *la Fièvre*) où il paraît plus à l'aise, et écrit des livres pour la jeunesse (*Lullaby* et *Celui qui n'avait jamais vu la mer*).

1963, *Le Procès-Verbal.*	**1970,** *La Guerre.*
1966, *Le Déluge.*	**1973,** *Les Géants.*
1967, *Terra Amata.*	**1978,** *L'Inconnu sur la terre.*
	1980, *Désert.*

Le Procès-Verbal est formé de séquences ou mouvements indiqués par des lettres de A à R. Cette absence de composition romanesque en rend l'analyse difficile. Le héros, Adam Pollo, sorte de beatnik, de vagabond, de clochard, homme du « XXVIe siècle par ex. » (p. 131), asocial et marginal, déserte la société et s'enferme dans une maison abandonnée. Comme son prénom l'indique, Adam est un homme à l'état brut, qui n'a pas encore atteint la phase des idées et des sentiments, et qui s'abandonne aux sensations.

Allongé sur la plage, il voit mieux « le monde se dévoiler, bribe par bribe, dans son enchaînement tranquille et burlesque » (p. 31). Il est le chien qui passe et qu'il imite. Il s'identi-

1. Folio.

fie aux fauves d'un zoo, aux rats avec lesquels il « aurait pu se terrer le jour, entre deux planches vermoulues, et vagabonder la nuit » (p. 115).

Mais c'est compter sans la société qui n'admet pas qu'on transgresse ses règles. Et quand Adam veut se faire le prophète d'une vie plus naturelle, le seul « procès-verbal » qu'on dressera contre lui, c'est l'acte d'incarcération dans un asile psychiatrique, d'où, d'ailleurs, il s'était peut-être échappé.

● **Les émois de la sensibilité :** la sollicitation des sens libère la conscience prisonnière, la désintègre, la multiplie, dans une sorte de fusion entre le moi et le monde. Il en résulte un lyrisme organique, une sorte d'identification de l'être avec la nature et l'animal (panthéisme), un frémissement commun de la vie et de l'être.

● **La force de l'écriture :** afin de transmettre cette émotion tragique, Le Clézio cherche avant tout un langage : « Une seule chose compte pour moi, c'est l'acte d'écrire. » Il est en quête d'une « écriture à l'état brut » (*la Fièvre*), d'une écriture qui est un moyen de fuir, de lutter, d'aller « de l'autre côté ». Tous les artifices sont bons, ratures (p. 206-207, 222), fac-similés (p. 139, 161), listes, fiches ou formulaires (p. 181, 194, 238-239), coupures de journaux (p. 252-254). Cette leçon sera entendue par toute une génération d'écrivains parmi lesquels il fait figure de précurseur.

● **Métaphysique-fiction :** sous couvert d'une fiction un peu décousue, Le Clézio livre une réflexion pathétique. Comme le Meursault de Camus (cf. p. 124-125), son personnage est un accusé. Il découvre que les hommes lui reprocheront d'avoir aimé avec excès et hors des normes la vie : « J'imagine qu'il va falloir passer sous peu devant un tribunal d'hommes... sans orgueil, j'espère qu'on me condamnera à quelque chose, afin que je puisse payer de mon corps la faute de vivre... » (p. 130).

50. Vendredi ou les limbes du Pacifique[1],
1967

MICHEL TOURNIER

Michel Tournier (né en 1924) ne donne pas une version modernisée du *Robinson Crusoé* (1719) de Daniel Defoe : il recrée le mythe de l'intérieur. Seul le cinéaste Luis Buñuel avait dans son film *las Aventuras de Robinson Crusoe* (1952) tenté de dépasser l'anecdote du naufragé condamné à la solitude et de sonder le subconscient des insulaires : Buñuel et Tournier se posent davantage le « *pourquoi* » de la survie que le « *comment* ».

Avant l'arrivée de Vendredi, Robinson est en proie à une sorte de superstition angoissée. Il lui manque la « pièce maîtresse de son univers » : *autrui*. « La foule de ses frères, qui l'avait entretenu dans l'humain sans qu'il s'en rendît compte, s'était brusquement écartée de lui, et il éprouvait qu'il n'avait pas la force de tenir seul sur ses jambes » (p. 38). Il écrit : « Je sais maintenant que chaque homme porte en lui — et comme au-dessus de lui — un fragile et complexe échafaudage d'habitudes, réponses, réflexes, mécanismes, préoccupations, rêves et implications, qui s'est formé et continue à se transformer par les attouchements perpétuels de ses semblables. Privée de cette sève, cette délicate efflorescence s'étiole et se désagrège » (p. 53).

Il découvre qu'il est seul et nu. Et sa solitude est faite de l'absence des autres, de cette civilisation qui colle encore à sa peau et dont les nostalgies lui viennent par lambeaux de souvenirs. Dépouillé des autres, il se sent dépouillé de lui-même. Il se demande s'il existe.

Mais il y a l'île, Speranza : « Enfin il lui apparut tout à coup que l'île, ses rochers, ses forêts n'étaient que la paupière et le

---

1. Folio. Dans la même collection, il existe une version simplifiée (par Michel Tournier lui-même) destinée à la jeunesse, *Vendredi ou la vie sauvage*.

sourcil d'un œil immense, bleu et humide, scrutant les profondeurs du ciel » (p. 23). C'est en cette île qu'il cherchera un refuge, se lovant comme le fœtus dans une anfractuosité souterraine : « Il était suspendu dans une éternité heureuse » (p. 106). C'est en elle qu'il assumera sa sexualité, ensemençant des filles-mandragores[2]. Mais Vendredi arrive. Sera-t-il l'*autrui* ? Déconcertant Vendredi qui vit hors du temps ; il fait exploser la grotte de Robinson et abolit autrui en montrant que les êtres sont interchangeables dans leur existence cosmique. C'est lui l'ange destructeur et révélateur qui enlève à Robinson le goût des autres. Robinson ne repartira pas vers une civilisation qui lui est devenue étrangère.

● **Le témoignage d'autrui** : dans ces *limbes* où il séjourne (p. 130), Robinson s'interroge : « Tous ceux qui m'ont connu, tous sans exception me croient mort. Ma propre conviction que j'existe a contre elle l'unanimité » (p. 129).

● **Le chaos** : il se produit alors un « travail d'érosion de la solitude » sur l'âme de l'homme civilisé (p. 82). Le cataclysme permet d'entrer dans le chaos : et si ce chaos n'était que l'union merveilleuse de tout ce que nos sens perçoivent et qui continuerait d'exister sans même nos organes ? « Mon œil est le cadavre de la lumière, de la couleur. Mon nez est tout ce qui reste des odeurs quand leur irréalité a été démontrée » (p. 99).

● **Le temps** : il n'est plus mesuré que par le mât vertical du vieux cèdre maintenant déraciné. Le cadran solaire a fait place à la constellation toute baignée de lumière : « Sous le soleil-dieu, Speranza vibrait dans un présent perpétuel, sans passé ni avenir » (p. 246).

● **Le mythe renouvelé** : ce roman dans lequel la question de l'existence est posée encore une fois renouvelle le mythe de Robinson à la fois par l'énigme philosophique qu'il pose et par le lyrisme superbe avec lequel sont décrites les noces végétales, minérales et solaires de l'homme avec son île.

Télévision : Gérard Vergez, *Vendredi ou la vie sauvage.*

---

2. Plante que l'on croyait douée de vertus magiques.

Formation I : L'ACTION

On appelle *action* le principal événement qui fait le sujet d'un roman. Autour de ce nœud central gravitent ou s'amalgament différents incidents qui constituent *l'intrigue*.

Certains romans respectent une unité d'action analogue à celle que préconisait Aristote pour le théâtre.

L'intrigue peut être parfois ramenée à certains schémas.

1. **Le roman de chevalerie** constitue une véritable initiation (quête, épreuves, victoire) au terme de laquelle le chevalier, ayant prouvé sa vaillance et son amour, est purifié. C'est le schéma des **Romans de la Table Ronde.**

2. **Le roman d'apprentissage** est celui de l'éducation. Le héros y passe de l'état d'ingénuité à celui de la lucidité. **Candide** ou **l'Éducation sentimentale** pourraient en être les modèles. **Aurélien** raconte l'apprentissage d'une génération d'après-guerre.

3. **Le roman picaresque** est celui du héros qui se laisse porter par les événements en essayant d'en tirer parti : vous y reconnaissez **Jacques le Fataliste** ou les **Faux-Monnayeurs.**

4. **Le roman naturaliste** raconte une série d'actions qui, par leur enchaînement fatal, provoquent la dégradation progressive du héros, par exemple **l'Assommoir.**

5. **Le nouveau roman** nie l'intrigue : elle ne subsiste qu'à l'état de bribes désarticulées, par exemple dans **les Gommes.**

6. **Le roman contemporain** s'intéresse moins à la construction astucieuse d'une intrigue qu'à la restitution de la vie, fût-ce au moyen d'une écriture anarchique, de mouvements ou de « séquences » apparemment désordonnés, comme dans **le Procès-Verbal.**

On tend de plus en plus vers l'autobiographie, les mémoires, les témoignages vécus. L'imagination se complaît davantage dans le réel que dans la fiction ou prend la fuite en ressuscitant le passé (d'où la vogue du roman historique).

Formation II : LES PERSONNAGES

Le roman foisonne de personnages de tous âges et de toutes conditions. Le romancier donne l'illusion que ses personnages existent en leur prêtant toutes les apparences vraies.

S'il existe un retour des mêmes personnages à l'intérieur d'un cycle (p. 10, 70, 95, 100, 130, 133) ou même des retours déguisés, sous des identités différentes (p. 67), les mêmes « types » réapparaissent, chacun coloré d'une manière différente, d'un romancier à l'autre. En voici quelques exemples :

● **Enfants victimes de leur condition** : Cosette (p. 61), Nana (p. 90). **Enfants du peuple** : Gavroche (p. 61), Zazie (p. 128). **Enfants bourgeois** : Bernard, Olivier (p. 106).

● **Jeunes hommes calculateurs ou ambitieux** : Danceny (p 46), Julien (p. 65), Fabrice (p. 67), Rastignac (p. 70). Ou, au contraire, **victimes de leurs fantasmes** : René (p. 55), Meaulnes (p. 98), Aldo (p. 134). **Aventuriers** : Candide (p. 32), Angelo (p. 130). **Révolutionnaires** : Marius (p. 61), Kyo (p. 116) **Antihéros** : Frédéric (p. 82) ou **désenchantés** : Aurélien (p. 132).

● **Jeunes femmes vertueuses** : Mme de Clèves (p. 26), Julie (p. 40), Mme Arnoux (p. 82), **victimes** : Cécile (p. 46), **émancipées** : Mathilde (p. 65), Clélia (p. 67), Thérèse (p. 108), Nadja (p. 112), **perverses** : Manon (p. 38), ou **éprises d'absolu** : Bérénice (p. 132).

● **Des couples contrariés** : Tristan et Iseut (p. 12), Mme de Clèves et M. de Nemours (p. 26), Manon et Des Grieux (p. 38), Julie et Saint-Preux (p. 40), Paul et Virginie (p. 44).

● Certains personnages se rattachent à de **« grands types »**. Des femmes exceptionnelles dans le Mal : Mme de Merteuil (p. 46) ou dans l'exercice du Bien : la Sanseverina (p. 67) Quasimodo (p. 59), Jean Valjean (p. 61), Vautrin (p. 70), Nemo (p. 94), atteignent au surhumain. Mme Bovary (p. 80), tuée par ses chimères, est un autre don Quichotte. Goriot (p. 70), dépossédé par ses filles, est un autre roi Lear. Robinson (p. 146) est un type éternel (De Foe, Jules Verne, Giraudoux, Tournier). Boule de Suif (p. 88) est un anti-grand type.

● Le nouveau roman hait l'idée de « héros » (p. 138).

Formation III : LE ROMANCIER ENGAGÉ DANS SON ŒUVRE

1. **L'engagement du romancier :** On le trouve en général dans le roman philosophique (Sartre, Camus), dans le roman politique (Aragon), dans le roman social (Hugo, Céline). Certains romans défendent les thèses de leurs auteurs : Voltaire contre toutes les intolérances dans **Candide,** Hugo contre l'esclavage **(Bug-Jargal)** ou la peine de mort **(Le dernier jour d'un condamné),** Zola contre la misère et l'exploitation de l'ouvrier.

2. **Le romancier devant son œuvre :**

— Stendhal vit par l'intermédiaire de ses héros.

— Chateaubriand ou Colette transposent à peine un élément autobiographique.

— Guilleragues supprime dans **la Religieuse portugaise** tout intermédiaire : la Religieuse s'exprime directement par lettres-confessions.

— Mérimée reste impassible.

— Flaubert ou Zola n'ont aucune sympathie pour leurs personnages.

— Diderot révèle la dualité de sa personnalité en faisant dialoguer Jacques et son Maître, autre lui-même.

— Marguerite Yourcenar s'infiltre à l'intérieur d'un personnage historique tout en respectant l'authenticité.

3. **L'engagement du héros :** Certains personnages sont maîtres de l'action et la conduisent : c'est le cas de Mme de Merteuil (p. 46). D'autres sont poussés à l'action par leurs sentiments : la passion oblige Mme de Clèves à se confesser à son mari. Frédéric Moreau (p. 82) est au contraire ballotté par l'action à laquelle il n'oppose qu'inertie. Gervaise (p. 90) est livrée à l'action qui l'anéantit inexorablement. René (p. 55), Kyo (p. 116) luttent au contraire contre l'enlisement et cherchent à se délivrer par l'action. Chez Sartre, chez Camus, l'action ou la mort sont des engagements ; chez Malraux, un défi. Le nouveau roman repousse l'engagement.

Formation IV : LES TECHNIQUES

L'une des grandes difficultés du roman aura toujours été la *durée,* le rapport entre le temps réel et le temps fictif : comment inscrire dans un nombre x de pages une durée variable qui pourrait s'étendre d'un *instant* **(les Gommes)** à une vie entière **(l'Éducation sentimentale)** ? Les retours en arrière **(la Modification),** l'exploration du psychisme **(Aurélia, Nadja),** la virtuosité des souvenirs (Proust), permettent d'autant mieux de tricher que le lecteur, au moment où il lit, ne perçoit pas le *temps romanesque :* il adhère à la convention.

Qui raconte l'histoire ? Certains romanciers optent pour le «je» et identifient le héros à l'auteur **(l'Étranger)** ou préfèrent la troisième personne qui supprime la médiation de l'auteur (Zola). Dans certains cas, on peut passer du «il» au «nous» lorsque le récit individuel est élargi au plan collectif : **les Misérables** ou **l'Assommoir** ne sont que des exemples de l'homme écrasé par le prolétariat, de la femme (Fantine, Gervaise) condamnée par sa condition, de l'enfant (Gavroche, Nana) encore plongé dans les ténèbres de l'analphabétisme.

Dans **la Modification,** Butor emploie un procédé intéressant : le «vous» pour se désigner soi-même comme si l'on était quelqu'un d'autre : jeu subtil des pronoms personnels. Rimbaud intitulait précisément *Roman* ces variations sur les «vous» et les «on» :

— Ce soir-là, ... — *vous* rentrez aux cafés éclatants.
Vous demandez des bocks et de la limonade...

— *On* n'est pas sérieux, quand *on* a dix-sept ans
Et qu'*on* a des tilleuls verts sur la promenade.

Qui est «vous», qui est «on», qui est «je» ?

Certains préfèrent le discours indirect libre, parce qu'il écarte tout point de vue privilégié **(les Gommes).**

L'*argot* fait l'objet de nombreuses pages des **Misérables.** Il apparaît avec ses multiples richesses chez Zola, Céline, Queneau. Le style de marbre de Flaubert, de Gracq, de Yourcenar ou la féerie du langage chez Céline, Vian, Queneau, sont autant de métamorphoses possibles de la langue romanesque.

Formation V : ROMAN ET CINÉMA

Le cinéma a trouvé dès ses origines dans le roman une mine inépuisable de sujets. Un art nouveau était né. Un nouveau langage était né. Mais il reste encore souvent dépendant du livre.

Dès 1902, on réalise une adaptation cinématographique de **Robinson Crusoé**, et en 1903, un premier **Don Quichotte**. Émile Zola aurait pu voir en 1902 la première adaptation de **l'Assommoir** intitulée **les Victimes de l'alcoolisme**, de Ferdinand Zecca. En ce qui concerne Victor Hugo, il y eut pour les seuls **Misérables** dix-sept adaptations entre 1906 et 1958.

Nous n'avons retenu que les adaptations connues ou d'accès facile. Le cinéphile prolongera de lui-même les références.

L'un des problèmes les plus intéressants que pose au cinéma l'adaptation d'un roman, c'est la transposition à une autre époque. Sans doute **l'Éternel retour** de Jean Delannoy et Jean Cocteau en est-il le modèle car, non seulement il affirmait la pérennité d'une situation romanesque à trois personnages, mais il tournait les regards, après les horreurs de la guerre, en 1943, vers le monde des légendes et des mythes.

L'après-guerre actualisa ainsi certains romans : **Boule de Suif**, qui était en réalité l'adaptation de deux nouvelles de Maupassant (**Boule de Suif** et **Mam'zelle Fifi**), rappelait opportunément aux lendemains de 39-40 d'autres temps d'occupation, ceux de 1870. Il en fut de même pour l'adaptation au cinéma par Claude Autant-Lara du roman de Raymond Radiguet, **le Diable au corps**, qui fit scandale en 1947 parce qu'une jeune femme, Marthe, y devient la maîtresse d'un collégien pendant que son mari est mobilisé. A cet égard, **Manon**, en 1949, évoquait le monde trouble du marché noir et des séquelles de la guerre. Les transpositions modernes, d'intérêt inégal, de **l'Éducation sentimentale**, de **Candide ou l'optimisme**, des **Liaisons dangereuses**, poursuivent toutes le même but : montrer que les aspirations, les passions, les vices, sont les mêmes et que les âges et les sociétés sont interchangeables.

Dans **Prima della Rivoluzione,** de Bertolucci, le Fabrice de Stendhal devient Fabrizio, le film se passe à Parme. Mais Stendhal n'est qu'un prétexte. Il ne reste de **la Chartreuse** que l'essence du roman : «C'est l'ambiguïté et l'inquiétude elles-mêmes qui se regardent dans un miroir», écrit Bernardo Bertolucci, (…) reprenant l'idée stendhalienne du *miroir* (cf. p. 69). La relation réalité-fiction se pose au cinéma au même titre que dans le roman. Sans doute le cinéma est-il plus apte à rendre la vie, puisqu'il propose l'image même des personnages et des lieux, révélateurs des âmes et des milieux.

En vérité, les notions de *caméra-stylo* et de *ciné-roman* sont abusives. Le roman a souvent servi de support à des adaptations filmées, mais ces deux moyens d'expression obéissent à des exigences techniques si profondément différentes que la création s'y situe à des niveaux qui coïncident rarement. La question qui se pose est celle du respect de l'œuvre littéraire lorsqu'elle est mise en images, ou son «détournement». Découpant en séquences le **Journal d'un curé de campagne** de Georges Bernanos, Robert Bresson brise l'unité du livre, mais réussit à restituer par les images l'atmosphère des mots.

Parfois, le metteur en scène n'échappe pas à son propre univers. Quand Luis Buñuel adapte au cinéma Daniel De Foe **(Robinson Crusoé)**, Emily Brontë qu'il hispanise ! **(les Hauts de Hurlevent)**, Octave Mirbeau **(Journal d'une femme de chambre)** ou Joseph Kessel **(Belle de jour)**, cesse-t-il jamais d'être fidèle dans ses images-chocs au Surréalisme de sa jeunesse?

Cependant, le cinéma a acquis son indépendance, produisant d'authentiques et originales œuvres «romanesques» comme le **1900** de Bernardo Bertolucci (1976), qui dure près de six heures, traversant cinquante ans de la destinée de ses deux héros, comme on le voit dans les grandes chroniques littéraires du XIXe et du XXe siècle, de Balzac à Aragon.

Vers une définition du roman

Savons-nous maintenant ce que c'est qu'un roman ?

« Si l'on entend par roman une intrigue suivie, une histoire dont les péripéties intéressent quelques acteurs-personnages, dont le décor garde quelque unité et quelque vraisemblance, et qui comporte une leçon ou exprime une sagesse[1] », combien répondent à cette définition ?

De nombreux écrivains ont, romanciers eux-mêmes ou théoriciens de la littérature, essayé de donner, comme l'a fait Émile Zola en 1866, une « définition du roman ». Aucune ne s'applique à l'ensemble. On peut dire : ceci n'est pas du théâtre, ni de la poésie, ni une épopée, ni des mémoires. Mais le roman s'insinue entre ces différents genres, leur prend leur substance. Si l'on ne retenait que les romans qui conviennent à la définition précédente, le genre perdrait un grand nombre de ses chefs-d'œuvre, que l'on ne saurait pas davantage ranger ailleurs. Est-il d'ailleurs bien nécessaire de *ranger* ?

Nous avons affaire à un foisonnement d'œuvres que modèlent les tempéraments, les époques, les influences : romans allégoriques, épistolaires, historiques, d'éducation, d'amour, de mœurs, d'intrigues... Romans nés de la fantaisie ou des fantasmes de l'auteur, romans enfants terribles, récalcitrants, anarchiques, portant les révoltes aussi bien que les angoisses... Et Mérimée qui en dit plus en vingt pages que Mlle de Scudéry en cinq mille ! Ce qui fait le roman, ce n'est pas l'étendue de sa trame, mais sa texture.

Ainsi était-il, dès ses origines, « au confluent de tous les genres, matière littéraire à l'état pur où se côtoient pêle-mêle toutes les aspirations, toutes les idées informulées, tous les instincts les plus vitaux de la pensée antique[2] ». Il n'a guère changé depuis Longus, Pétrone, Apulée ou Lucien.

---

1. Paul Vernière, Préface à *Jacques le Fataliste,* Folio, p. 11.
2. Pierre Grimal, *Romans grecs et latins,* Introduction (la Pléiade).

Repères chronologiques[1]

1170	Chrétien de Troyes	● Érec et Énide
1190	Béroul/Thomas	● Tristan et Iseut
1233	Anonyme	Aucassin et Nicolette
1277	Jean de Meung	Le Roman de la rose
1280	Anonyme	La châtelaine de Vergy
1440	Anonyme	Les quinze joyes de mariage
1456	Antoine de la Sale	Le petit Jehan de Saintré
1486	Anonyme	Les cent nouvelles nouvelles
1532	Rabelais	● **Pantagruel**
1534	Rabelais	**Gargantua**
1549	Marguerite de Navarre	● **L'Heptaméron**
1607	Honoré d'Urfé	L'Astrée
1649	Melle de Scudéry	Artamène ou le grand Cyrus
1651	**Scarron**	● **Le roman comique**
1657	Cyrano de Bergerac	Les états et empires du soleil et de la lune
1662		
1666	Furetière	Le roman bourgeois
1669	Guilleragues	● **Les lettres portugaises**
1678	Madame de Lafayette	● **La princesse de Clèves**
1697	Charles Perrault	Histoires ou contes du temps passé
1707	Lesage	Le diable boiteux
1715	Lesage	Gil Blas de Santillane
1717	Fénelon	Les aventures de Télémaque
1721	Montesquieu	● **Les lettres persanes**
1731	Abbé Prévost	● **Manon Lescaut**
1741	Marivaux	● **La vie de Marianne**
1747	Voltaire	Zadig ou la destinée
1759	Voltaire	● **Candide ou l'optimisme**
1761	J.-J. Rousseau	● **La Nouvelle Héloïse**
1772	Cazotte	Le diable amoureux
1773	Diderot	● **Jacques le Fataliste**
1775	Restif de la Bretonne	Le paysan perverti
1782	Choderlos de Laclos	● **Les liaisons dangereuses**
1788	B. de Saint-Pierre	● **Paul et Virginie**
1791	Marquis de Sade	Justine ou les malheurs de la vertu
1801	Chateaubriand	Atala
1802	Chateaubriand	● **René**
1802	Senancour	Oberman
1807	Madame de Staël	Corinne ou l'Italie
1816	Benjamin Constant	Adolphe
1826	Alfred de Vigny	Cinq-Mars
1829	Prosper Mérimée	Chronique du règne de Charles IX
1830	Stendhal	● **Le rouge et le noir**
1831	Victor Hugo	● **Notre-Dame de Paris**
1832	George Sand	Indiana

1. La date donnée est celle de l'achèvement de l'œuvre.

1833	H. de Balzac	Eugénie Grandet
1834	Sainte-Beuve	Volupté
1835	**H. de Balzac**	• **Le Père Goriot**
1839	**Stendhal**	• **La chartreuse de Parme**
1840	**Prosper Mérimée**	• **Colomba**
1842	Eugène Sue	Les Mystères de Paris
1844	Alexandre Dumas	Les trois Mousquetaires
1845	**Prosper Mérimée**	• **Carmen**
1846	George Sand	La mare au diable
1855	**Gérard de Nerval**	• **Aurélia**
1857	**Gustave Flaubert**	• **Madame Bovary**
1862	**Victor Hugo**	• **Les Misérables**
1863	Jules Vallès	L'enfant
1865	E. & J. de Goncourt	Germinie Lacerteux
1867	Émile Zola	Thérèse Raquin
1868	Alphonse Daudet	Le Petit Chose
1869	**Gustave Flaubert**	• **L'éducation sentimentale**
1870	**Jules Verne**	• **Vingt mille lieues sous les mers**
1871	Émile Zola	La fortune des Rougon
1874	Gobineau	Les Pléiades
1874	**Barbey d'Aurevilly**	• **Les diaboliques**
1876	**Émile Zola**	• **L'Assommoir**
1879	Pierre Loti	Aziyade
1880	**Guy de Maupassant**	• **Boule de Suif**
1881	Anatole France	Le crime de Sylvestre Bonnard
1886	Villiers de l'Isle-Adam	L'Ève future
1888	Maurice Barrès	Sous l'œil des barbares
1889	Paul Bourget	Le disciple
1891	Jules Renard	L'écornifleur
1896	Paul Valéry	La soirée avec M. Teste
1902	André Gide	L'immoraliste
1904	Romain Rolland	Jean-Christophe
1908	Colette	Les vrilles de la vigne
1911	J.-H. Rosny Aîné	La guerre du feu
1913	**Alain-Fournier**	• **Le grand Meaulnes**
1916	Henri Barbusse	Le feu
1923	Jean Cocteau	Thomas l'imposteur
1923	Raymond Radiguet	Le diable au corps
1926	**André Gide**	• **Les faux-monnayeurs**
1927	Julien Green	Adrienne Mesurat
1927	**François Mauriac**	• **Thérèse Desqueyroux**
1927	**Marcel Proust**	• **A la recherche du temps perdu**
1928	**André Breton**	• **Nadja**
1928	**Colette**	• **La naissance du jour**
1928	André Malraux	Les conquérants
1931	A. de Saint-Exupéry	Vol de nuit
1932	**L.-F. Céline**	• **Voyage au bout de la nuit**
1933	**André Malraux**	• **La condition humaine**
1935	Louis Guilloux	Le sang noir
1936	G. Bernanos	Journal d'un curé de campagne
1938	**Jean-Paul Sartre**	• **La nausée**

1939	H. de Montherlant	• **Les jeunes filles**
1940	Roger Martin du Gard	Les Thibault
1942	Albert Camus	• **L'étranger**
1943	Simone de Beauvoir	L'invitée
1945	Louis Aragon	• **Aurélien**
1946	Zoé Oldenbourg	Argile et cendres
1947	Boris Vian	• **L'écume des jours**
1947	Jules Romains	Les hommes de bonne volonté
1947	Jacques Perret	Le caporal épinglé
1951	Jean Giono	• **Le hussard sur le toit**
1951	Marguerite Yourcenar	• **Mémoires d'Hadrien**
1951	Julien Gracq	• **Le rivage des Syrtes**
1951	Samuel Becket	Molloy
1951	Vercors	Le silence de la mer
1953	Alain Robbe-Grillet	• **Les gommes**
1954	Françoise Sagan	Bonjour tristesse
1954	Simone de Beauvoir	Les mandarins
1956	Nathalie Sarraute	Portrait d'un inconnu
1956	Romain Gary	Les racines du ciel
1957	Roger Vailland	La loi
1957	Michel Butor	• **La modification**
1958	Marguerite Duras	Moderato cantabile
1958	Louis Aragon	La semaine sainte
1958	Joseph Kessel	Le lion
1959	Raymond Queneau	• **Zazie dans le métro**
1961	Catherine Paysan	Nous autres les Sanchez
1962	Robert Merle	L'île
1962	Alphonse Boudard	La métamorphose des cloportes
1963	J.-M.-G. Le Clézio	• **Le procès-verbal**
1963	A.-P. de Mandiargues	La motocyclette
1967	Revzani	Les années lumière
1967	Michel Tournier	• **Vendredi ou les limbes du Pacifique**
1968	Christine de Rivoyre	Le petit matin
1971	Pierre-Jean Rémy	Le sac du palais d'été
1973	Patrick Modiano	Les boulevards de ceinture
1974	Pascal Lainé	La dentellière
1975	Émile Ajar	La vie devant soi
1976	Marc Cholodenko	Les États du désert
1976	Georges Pérec	La vie mode d'emploi
1979	Jeanne Bourin	La chambre des dames
1981	Louis Nucera	Le chemin de la lanterne
1982	Catherine Rihoit	La favorite
1983	Jacques de Bourbon-Busset	Le berger des nuages
1983	Marguerite Duras	La maladie de la mort
1983	Françoise Sagan	Un orage immobile
1983	Régine Deforges	La bicyclette bleue
1983	Jacques Lanzmann	Le lama bleu
1983	Benoîte Groult	Les trois quarts du temps
1983	Françoise Parturier	Les Hauts de Ramatuelle
1983	François Cavanna	Les yeux plus grands que le ventre

Index (renvoi aux pages du Profil)

1. Personnages envisagés dans leur essence idéale ou morale.

● Thèmes

Ateliers SEPC à Saint-Amand (Cher), France. VI-1985.

Dépôt légal : juin 1985. Nº d'éd. : 7570. Nº d'imp. : 1009.

IMPRIMÉ EN FRANCE